【張愛玲全集】

續集

書名「續集」，是繼續寫下去的意思。雖然也並沒有停止過，近年來寫得少，刊出後常有人沒看見，以為我擱筆了。

自序

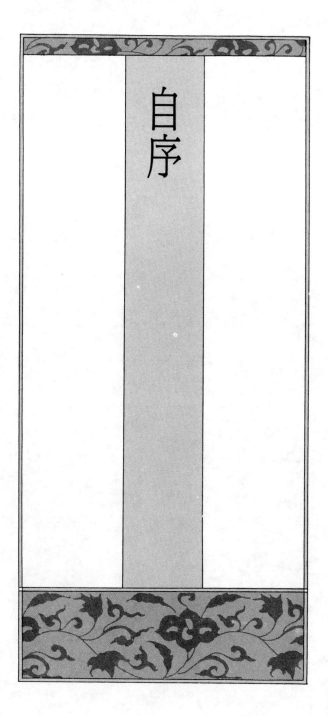

書名『續集』，是繼續寫下去的意思。雖然也並沒有停止過，近年來寫得少，刊出後常有人沒看見，以爲我擱筆了。

前些日子有人將埋藏多年的舊作『小艾』發掘出來，分別在台港兩地刊載，事先連我本人都不知情。這逆轉了英文俗語的說法：『押著馬兒去河邊，還要揿著牠喝水。』水的冷暖只有馬兒自知。聽說『小艾』在香港公開以單行本出版，用的不是原來筆名梁京，却理直氣壯地擅用我的本名，其大膽當然比不上以我名字出版『笑聲淚痕』的那位『張愛玲』。我一度就讀於香港大學，後來因珍珠港事變沒有完成學業；一九五二年重臨香港，住了三年，都有記錄可查。我實在不願爲了『正名』而大動干戈。出版社認爲對『小艾』心懷叵測者頗不乏人，勸我不要再蹉跎下去，免得重蹈覆轍。事實上，我的確收到幾位出版商寄來的預支版稅和合約，只好原璧奉還，一則非常不喜歡這篇小說，更不喜歡以『小艾』名字單獨出現，二則我的書一向歸皇冠出版，多年來想必大家都知道。只怪我這一陣心不在『馬』，好久沒有在綠茵場上出現，以致別人認爲有機可乘，其實仍是無稽之談而已。

這使我想到，本人還在好好地過日子，只是寫得較少，却先後有人將我的作品視爲公產，隨意發表出書，居然悻悻責備我不應發表自己的舊作，反而侵犯了他的權利。我無從想像富有幽默感如蕭伯納，大男子主義如海明威，怎麼樣應付這種堂而皇之的海盜行爲。他們在英美榮膺諾貝爾文學獎，生前死後獲得應有的版權保障。蕭伯納的『賣花女』在舞台上演後，改編成黑白電影，又改編成輕音樂劇『窈窕淑女』，再改編成七彩寬銀幕電影，都得到版權費。海明威未完成的遺作經人整理後出版，他的繼承人依舊享受可觀的版稅。如果他們遇到我這種情況，相信蕭伯納絕不會那麼長壽，海明威的獵槍也會提前走火。

我想既然將舊作出版，索性把從前遺留在上海的作品選出一本文集，名之爲『餘韻』。另外自一九五二年離開上海後在海外各地發表而未收入書中的文章編成一集，名之爲『續集』，免得將來再鬧紅樓夢中瞞贓的竊盜官司。

『談吃與畫餅充飢』寫得比較細詳，引起不少議論。多數人印象中以爲我吃得又少又隨便，幾乎不食人間煙火，讀後大爲驚訝，甚至認爲我『另有一功』。衣食住行我一向比較注重衣和食，然而現在連這一點偏嗜都成爲奢侈了。至少這篇文章可以滿足一部分訪問者和在顯微鏡下『看張』者的好奇心。這種自白式的文章只是驚鴻一瞥，雖然是頗長的一瞥。我是名演員嘉寶的信徒，幾十年來她利用化裝和演技在紐約隱居，很少爲人識破，因爲一生信奉『我要單獨生活』的原則。記得一幅漫畫以青草地來譬喻嘉寶，上面寫明『私家重地，請勿踐踏。』作者借用書刊和讀者間接溝通，演員却非直接面對觀衆不可，爲什麼作家同樣享受不到隱私權？

『羊毛出在羊身上』是在不得已的情形下被逼寫出來的。不少讀者硬是分不清作者和他作品中人物的關係，往往混爲一談。曹雪芹的紅樓夢如果不是自傳，就是他傳，或是合傳，偏偏沒有人拿它當小說讀。最近又有人說，『色，戒』的女主角確有其人，證明我必有所據，而他說的這篇報導是近年才以回憶錄形式出現的。當年敵僞特務鬥爭的內幕那裏輪得到我們這種平常百姓知道底細？記得王爾德說過，『藝術並不模倣人生，只有人生模倣藝術。』我很高興我在一九五三年開始構思的短篇小說終於在人生上有了著落。

『魂歸離恨天』（暫名）是我爲電懋公司寫的最後一齣劇本，沒有交到導演手上，公司已告結束。多謝秦羽女士找了出來物歸原主。"Stale Mates"（『老搭子』）曾在美國『記者』雙週刊上刊出，虧得宋淇找出來把它和我用中文重寫的『五四遺事』並列在一起，自己看來居然有似曾相識的感覺。故事是同一個，表現的手法略有出入，因爲要遷就讀者的口味，絕不能說是翻譯。

最近看到不少關於我的話，不盡不實的地方自己不願動筆澄清，本想請宋淇代寫一篇更正的文章。後來想想作家是天生給人誤解的，解釋也沒完沒了，何況宋淇和文美自有他們操心的事。我一直牽掛他們的健康，每次寫信都說『想必好了。』根本沒有體察到過去一年（出『餘韻』的時期）他們正在昏暗的隧道中摸索，現在他們已走到盡頭，看見了天光，正是『續集』面世的時候。我覺得時機再好也沒有。尤其高興的是能借這個機會告訴讀者：我仍舊繼續寫作。

目錄

自序 3
關於『笑聲淚痕』 11
羊毛出在羊身上 17
——談『色，戒』
表姨細姨及其他 25
談吃與畫餅充飢 33
國語本『海上花』譯後記 53
『海上花』的幾個問題 75
——英譯本序
小兒女 81
魂歸離恨天 165
五四遺事 231
——羅文濤三美團圓
五四遺事（英譯） 247

關於『笑聲淚痕』

久已聽見說香港有個冒我的名寫的小說『笑聲淚痕』，也從來沒想到找來看。前些時終於收到友人寄來一本，甚至於也還是擱在那裏兩個月都懶得看。罵我的書特意寄贈一册，也只略翻了翻，就堆在一疊舊雜誌上，等以後搬家的時候一併清除。倒不是怕看，是眞的不感興趣。並不是我忽然『小我大我』起來，對於講我的話都一點好奇心都沒有。提起我也不一定與我有關。除了纏夾歪曲之外，往往反映作者自身的嘴臉與目的多於我。至於讀者的觀感，我對於無能爲力的事不大關心，只有自己勢力圈內，例如上次寄出『三詳紅樓夢』後又通篇改寫，但是已經駟馬難追，那才急得團團轉。不過這本『笑聲淚痕』需要寫篇短文聲明不是我寫的，只好到底還是看了。

有人冒名出書，彷彿值得自矜，總是你的名字有號召力。想必找了槍手，模仿得有幾分像，才充得過去。被剝削了還這樣自慰，近於阿Q心理。而且根本不是這麼回事。書末附有一篇類似跋的文字，標題『關於「戀之悲歌」』，下面署名製版，鋼筆簽名『陳影』。開首如下：

『戀之悲歌』，正如它的書名那樣，從頭至尾是一個悲劇。

作爲悲劇的主角——章雲裳，是值得我們同情的。她雖然因生活而被迫走入歡場，她雖然飽經滄桑，飽受苦難；……

可知此書原名『戀之悲歌』，陳影著——除非是用另一個名字，這篇跋冒充附錄的書評，自吹自捧一番。小說糟到坊間不會有人出的地步，可能是自費出版的。印刷所手中有紙版，樂得盜印，只換了個封面，書名改了，作者名字換了個比較眼熟的，人又在遠方的，不會有痲煩。這樣看來，原作者也是受害人了。

此人大概是眞姓陳，不是筆名，因爲書中敍述者名叫陳丹，寫跋的又是陳影。照他的作風做法，絕捨不得隱姓埋名。他是廣東人，屢次稱『喜歡』爲『鍾意』：『這是我最鍾意聽她唱的兩支歌』（第十三頁）；『但是他對我已經鍾意，是毋容再研究的了。』（第六十頁）——『容』是別字，不是排字錯誤。——國語吳語雖然也有『中意』，用法不同些。——書中男主角的故鄉也是廣東一個小鎭。

此人大概年紀不輕了。書中信件具名都是『王彼得鞠躬』，『陳丹鞠躬』，這款式近年來只有喜帖上難得有時候還有。

書中敍述者與男主人翁都是私家偵探，不過男主角已經在美改行經商。除了看電視影集，嚮往私家偵探生涯，他還有個理由要男主角也是偵探：得與女主角邂逅相遇。她在咖啡館看見報上暗殺案標題與死者的照片，誤以爲是她離了婚的丈夫被殺，驚呼『桑堅國！』名探王彼得立即趨前問她是否認識桑堅國，因此交談，得知她的身世。原來兩個桑堅國面貌也相同——賈寶玉甄寶玉至少不同姓。

王彼得到舞廳去『拜訪』她，發生情愫，但是沒有與她結合，因爲中學時代有個女同學單戀他，在一個大雷雨的晚上藉口怕鬼，投懷送抱，失身於他。他離開了上海，到抗戰後方去。輾轉赴美，失去聯絡。多年後，聽說他那女同學已經削髮爲尼，而又瘋癲投井自殺了，他這才自由了，委託香港一個私家偵探打聽那舞女的下落。偵探陳丹看她的照片面熟，想起半個月前救護一個車禍中的少女，長得一模一樣，當時沒見到她母親，再去找她，果然她母親酷肖照片中的章雲裳，自稱王太太章依戀，伴舞瞞着女兒，只告訴她，父親在美國經商，按月寄家用來。

陳丹因爲主顧諄囑切勿向章雲裳提起他，好讓她驚奇一下，因此不便說穿，在舞廳點唱王彼得從前最愛聽她唱的兩支歌，試探她的反應，證實章依戀是否就是章雲裳。不料她歌唱時悲痛過度，當場暈倒，送入醫院。王彼得自美來港，醫院訪問時間已過，次日再去，已經死了，緣慳一面，萬念俱灰，告訴陳丹他預備終身不娶，把她前夫的女兒帶回美國，視爲己女。雨中機場道別。兩位大偵探緊緊握着手，說不出話來。王彼得『臉上混凝着雨水和淚水。』終於迸出一句『再——見，陳——先——生！……』

我看了不禁想道：『活該！誰叫你眼高手低，至於寫不出東西來，讓人家寫出這樣的東西算你的，也就有人相信，香港報上還登過書評。』

可千萬不要給引起好奇心來，去買本來看看。薄薄一本，每章前後空白特多。奇文共欣賞，都已奉告，別無細節。

羊毛出在羊身上【談『色，戒』】

拙著短篇小說『色，戒』，這故事的來歷說來話長，有些材料不在手邊，以後再談。看到十月一日『人間』上域外人先生寫的『不吃辣的怎麼胡得出辣子？——評「色，戒」』一文，覺得首先需要闡明下面這一點：

特務工作必須經過專門的訓練，可以說是專業中的專業，受訓時發現有一點小弱點，就可以被淘汰掉。王佳芝憑一時愛國心的衝動——域文說我『對她愛國動機全無一字交代，』那是因爲我從來不低估讀者的理解力，不作正義感的正面表白——和幾個志同道合的同學，就幹起特工來了，等於是羊毛玩票。羊毛玩票入了迷，捧角拜師，自組票社彩排，也會傾家蕩產。業餘的特工一不小心，連命都送掉。所以『色，戒』裏職業性的地下工作者只有一個，而且只出現了一次，神龍見首不見尾，遠非這批業餘的特工所能比。域外人先生看書不夠細心，所以根本『表錯了情』。○○七的小說與影片我看不進去，較寫實的如詹·勒卡瑞（John Lecarré）——的名著『冷戰中』進來取暖的間諜』——搬上銀幕也是名片——我太外行，也不過看個氣氛。裏面的心理描寫很深刻，主角的上級首腦雖是正面人物，也口蜜腹劍，犧牲個把老下屬不算什麼。我寫的不是這些受過專門訓練的特工，當然有人性，也有正常的人性的弱點，不然勢必人物類型化，成了共黨文藝裏一套板的英雄形象。

王佳芝的動搖，還有個遠因。第一次企圖行刺不成，賠了夫人又折兵，不過是爲了喬裝已婚婦女，失身於同夥的一個同學。對於她失去童貞的事，這些同學的態度相當惡劣——至少予她的印象是這樣——連她比較最有好感的鄺裕民都未能免俗，讓她受了很大的刺激。她甚至於疑心她是上了當，有苦說不出，有點心理變態。不然也不至於在首飾店裏一時動心，鑄成大錯。

第二次下手，終於被她勾搭上了目標。她『每次跟老易在一起都像洗了個熱水澡，把積鬱都沖掉了，因爲一切都有了個目的。』『因爲一切都有了個目的』，是說『因爲沒白犧牲了童貞』，極其明顯。域外人先生斷章取義，撇開末句不提，說：

我未幹過間諜工作，無從揣摩女間諜的心理狀態。但和從事特工的漢奸在一起，會像『洗了個熱水澡』一樣，把『積鬱都沖掉了』，實在令人匪夷所思。

王佳芝演話劇，散場後興奮得鬆弛不下來，大夥消夜後還拖着個女同學陪她乘電車遊車河，這種心情，我想上台演過戲，尤其是演過主角的少男少女都經驗過。她第一次與老易同桌打牌，看得出他上了鉤，回來報告同黨，覺得是『一次空前成功的演出，下了台還沒下裝，自己都覺得顧盼間光艷照人。她捨不得他們走，恨不得再到哪裏去。已經下半夜了，鄺裕民他們又不跳舞，找那種通宵營業的小館子去吃及第粥也好，在毛毛雨裏老遠一路走回來，瘋到天亮。』

自己覺得扮戲特別美艷，那是舞台的魅力。『捨不得他們走，』是不願失去她的觀衆，與通常的 the party is over，酒闌人散的惆悵。這種留戀與拖女同學夜遊車河一樣天眞。『瘋到天亮』也不過是凌晨去吃小館子，雨中步行送兩個女生回去而已。域外人先生不知道怎麼想到歪裏去了：

> 我但願是我錯會了意，但有些段落，實在令我感到奇怪。例如她寫王佳芝第一次化身麥太太，打入易家，回到同夥處，自己覺得是『一次空前成功的演出，下了台還沒下裝，自己都覺得顧盼間光艷照人。她捨不得他們走，恨不得再到那裏去。』然後又『瘋到天亮』。那次她並未得手，後來到了上海，她又『義不容辭』再進行刺殺易先生的工作。照張愛玲寫來，她眞正的動機卻是『每次跟老易在一起都像洗了個熱水澡，把積鬱都冲掉了，因爲一切都有了（缺〔個〕字）目的。』

句旁着重點是我代加。『回到同夥處』顯指同夥都住在『麥家』。他們是嶺南大學學生，隨校遷往香港後，連課堂都是借港大的，當然沒有宿舍，但是必定都有寓所。『麥家』是臨時現找的房子，香港的小家庭都是住公寓或是一個樓面。要防易家派人來送信，或是易太太萬一路過造訪，年輕人太多令人起疑，絕不會大家都搬進來同住，其理甚明。這天晚上是聚集在這裏『等信』。

既然算是全都住在這裏，『捨不得他們走』就不是捨不得他們回去，而成了捨不得他們離開她各自歸寢。引原文又略去舞場已打烊，而且酈裕民等根本不跳舞——顯然因爲態度嚴肅——惟有冒雨去吃大牌檔一途。再代加『然後又』三字，成爲『然後又瘋到天亮』，『瘋到天亮』就成了出去逛了回來開無遮大會。

此後在上海跟老易每次『都像洗了個熱水澡，把積鬱都沖掉了，因爲一切都有了(個)目的』，引原文又再度斷章取義，忽視末句，把她編派成色情狂。這才叫羅織入人於罪，倒反咬一口，說我『羅織她的弱點』。

一般寫漢奸都是獐頭鼠目，易先生也是『鼠相』，不過不像公式化的小說裏的漢奸色迷迷暈陶陶的，作餌的俠女還沒到手已經送了命，俠女得以全貞，正如西諺所謂『又吃掉蛋糕，又留下蛋糕。』他唯其因爲荒淫縱慾貪汚，漂亮的女人有的是，應接不暇，疲於奔命，因此更不容易對付。而且雖然『鼠相』，面貌儀表還不錯——這使域外人先生大爲駭異，也未免太『以貌取人』了。——這一點非常重要，因爲他如果是個『糟老頭子』(見水晶先生『色，戒』書評)，給王佳芝買這只難覓的鑽戒本來是理所當然的，不會使她怦然心動，以爲『這個人是眞愛我的』。

易先生的『鼠相』『據說是主貴的』，(『色，戒』原文)『據說』也者，當是他貴爲僞政府部長之後，相士的恭維話，也可能只是看了報上登的照片，附會之詞。域外人先生寫道：『漢奸之相「主貴」，委實令我不解。』我也不解。即使域外人先生篤信命相，總也不至於迷信到認爲一切江湖相士都靈驗如神，使他無法相信會有相面的預言僞部長官運亨通，而看不出他這官做不長。

此外域文顯然提出了一個問題：小說裏寫反派人物，是否不應當進入他們的內心？殺人越貨的積犯一定是自視爲惡魔，還是可能自以爲也有逼上梁山可歌可泣的英雄事蹟？

易先生恩將仇報殺了王佳芝，還自矜爲男子漢大丈夫。起先她要他同去首飾店，分明是要敲他一記。他『有點悲哀。本來以爲想不到中年以後還有這樣的奇遇。……不讓他自我陶醉一下，不免憮然。』此後她捉放曹放走了他，他認爲『她還是愛他的，是他生平第一個紅粉知己。想不到中年以後還有這番遇合。』這是鎗斃了她以後，終於可以讓他儘量『自我陶醉』了，與前如出一轍，連字句都大致相同。

他並且說服了自己：『得一知己，死而無憾。他覺得她的影子會永遠依傍他，安慰他。……他們是原始的獵人與獵物的關係，虎與倀的關係，最終極的佔有。她這才生是他的人，死是他的鬼。』

域外人先生說：『讀到這一段，簡直令人毛骨悚然。』

『毛骨悚然』正是這一段所企圖達到的效果，多謝指出，給了我很大的鼓勵。

因爲感到毛骨悚然，域外人先生甚至於疑惑起來：

> 也許，張愛玲的本意還是批評漢奸的？也許我沒有弄清楚張愛玲的本意？

但是他讀到最後一段，又翻了案，認爲是『歌頌漢奸的文學——即使是非常曖昧的歌頌——』。

故事末了，牌桌上的三個小漢奸太太還在進行她們無休無歇的敲竹槓要人家請吃飯。無聊的鼓譟歪纏中，有一個說了聲：『不吃辣的怎麼胡得出辣子？』一句最淺薄的諧音俏皮話。域外人先生問：

這話是什麼意思？辣椒是紅色的，『吃辣』就是『吃血』的意思，這是很明顯的譬喩。難道張愛玲的意思是，殺人不眨眼的漢奸特務頭子，只有『吃辣』才『胡得出辣子』，做得大事業？這樣的人才是『主貴』的男子漢大丈夫？

『辣椒是紅色的，「吃辣」就是「吃血」的意思。』吃紅色食品就是『吃血』，那麼吃番茄也是吃血？而且辣的食物也不一定是辣椒，如粉蒸肉就用胡椒粉，有黑白二種。

我最不會辯論，又寫得慢，實在勻不出時間來打筆墨官司。域外人這篇書評，貌作持平之論，讀者未必知道通篇穿鑿附會，任意割裂原文，予以牽强的曲解與『想當然耳』，一方面又一再聲明『但願是我錯會了意』，自己預留退步，可以歸之於誤解，就可以說話完全不負責。我到底對自己的作品不能不負責，所以只好寫了這篇短文，下不爲例。

表姨細姨及其他

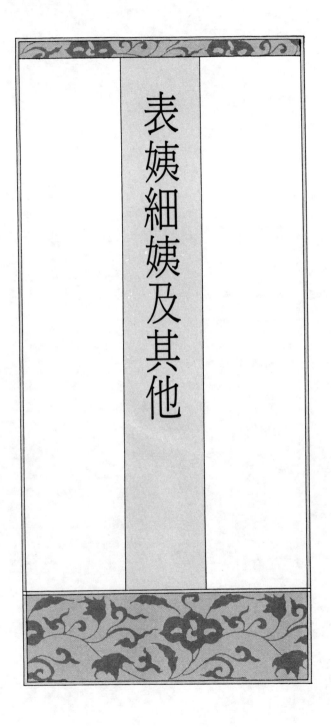

林佩芬女士在『書評書目』上評一篇新近的拙著短篇小說，題作『看張——「相見歡」的探討』，篇首引袁枚的一首詩，我看了又笑又佩服，覺得引得實在好，抄給讀者看：

愛好由來落筆難，
一字千改始心安；
阿婆還是初笄女，
頭未梳成不許看。

——袁枚．遣興

文內提起這故事裏伍太太的女兒稱母親的表姊爲『表姑』，而不是『表姨』，可見『兩人除了表姊妹之外還有婚姻的關係——兩人都是親上加親的婚姻，伍太太的丈夫是她們的表弟，荀太太的丈夫也是「親戚故舊」中的一名。』

林女士實在細心。不過是荀太太的丈夫比她們表姊妹倆小一歲，伍太太的丈夫不見得也比太太年輕。

其實嚴格的說來，此處應作『表姨』。她們不過是單純的表姊妹。寫到『表姑』二字的時候我也曾經躊躇了一會，但是沒想到應當下註解。

我有許多表姑，表姨一個都沒有。我母親的表姊妹也是我父親的遠房表姊妹，就也算表姑。我直到現在才想起來是忌諱『姨』字。難道『表』不諧音『婊』字？不但我們家——我們是河北人——在親戚家也都沒聽見過『表姨』這稱呼。唯一的例外是合肥李家有個女婿原籍揚州，是親戚間唯一的蘇北人，他太太跟我姑姑是堂表姊妹，他們的子女叫我姑姑『表姨娘』。當時我聽着有點刺耳，也沒去研究為什麼。固然紅樓二尤也是賈蓉的姨娘——已婚稱『姨媽』，未婚稱『姨娘』沒錯，不過紅樓夢裏小輩也稱姨娘為『姨娘』。想必因為作妾不是正式結婚，客氣的尊稱只好把來作為未婚的姨母看待。

我母親是湖南人，她稱庶母『大姨二姨』。我舅母也是湖南人。但是我舅舅家相當海派，所以表姊妹們叫舅母的妹妹『阿姨』——『阿姨』是吳語，近年來才普及——有『阿姨』的也只此一家。

照理『姨媽』這名詞沒有代用品，但是據我所知，『姨媽』也只有一個。李鴻章的長孫續娶詩人楊雲史的妹妹，小輩都稱她的姊姊『大姨媽』。楊家是江南人——常熟？

但是我稱我繼母的姊妹『大姨』『八姨九姨』以至於『十六姨』。她們父親孫寶琦有八個兒子，十六個女兒。孫家彷彿是江南人——我對這些事一向模糊——雖然都一口京片子非常道地。

此外我們這些親戚本家都來自華北華中與中南部。看來除了風氣較開放的江南一隅——延伸到蘇北——近代都避諱『姨』字，至少口頭上『姨』『姨娘』的稱呼已經被淘汰了，免與姨太太混淆。閩南話『細姨』是妾，想必福建廣東同是稱『小』作『細』。現在台灣恐怕不大有人稱妻妹爲小姨了。

三〇年間張資平的暢銷小說，有一篇寫一個青年與他母親的幼妹『雲』姨母戀愛。『雲姨母』顯然不是口語，這稱呼很怪，非常不自然，是爲了避免稱『雲姨』或『雲姨娘』。即使是文言，稱未婚少女爲『姨母』也不對。張資平的小說外表很西式，橫行排字，書中地點都是些『H市』『S市』，也看不出是否大都市，無法推測是漢口上海還是杭州汕頭。我的印象是作者是內地人，如果在上海寫作也是後來的事。他顯然對『姨』字也有過敏性。

『表姑』『表姨』的糾紛表過不提，且說『相見歡』這篇小說本身，似乎也應當加註解。短短一篇東西，自註這樣長，眞是個笑話。我是實在嚮往傳統的白描手法——全靠一個人的對白動作與意見來表達個性與意向。但是嚮往歸嚮往，是否能做到一兩分又是一回事了。顯然失敗了，連林女士這樣的細心人都沒看出『相見歡』中的荀紹甫

①對他太太的服飾感到興趣，雖然他不是個娘娘腔的人；

②認爲盲婚如果像買獎券，他中了頭獎；

③跟太太說話的時候語聲溫柔，與平時不同；

④雖然老夫老妻年紀都已過中年，對她仍舊有強烈的慾望；是愛他太太。至於他聽不懂她的弦外之音，又有時候說話不留神，使她生氣，那是多數粗豪的男子的通病。

這裏的四個人物中，伍太太的女兒是個旁觀者。關於她自己的身世，我們只知道她家裏反對她早婚，婚後丈夫出國深造，因爲無法同去，這才知道沒錢的苦處。這並不就是懊悔嫁了個沒錢的人，至少沒有悔意的跡象，小夫妻倆顯然恩愛。不過是離愁加上面對現實——成長的痛苦。

伍太太有兩點矛盾：

①痛心她摯愛的表姊彩鳳隨鴉，代抱不平到恨不得她紅杏出牆，而對她釘梢的故事感到鄙夷不屑——當是因爲前者是經由社交遇見的人，較羅曼蒂克；

②因爲她比荀太太有學識，覺得還是她比較能了解紹甫爲人——他寧可在家裏孵豆芽，不給軍閥做事，北伐後才到南京找了個小事。但是她一方面還是對紹甫處處吹毛求疵，對自己的丈夫倒相當寬容，『怨而不怒，』——只氣她的情敵，心裏直罵『婊子』，大悖她的淑女形象——被遺棄了還樂於給他寫家信。

顯然她仍舊妒恨紹甫。少女時代同性戀的單戀對象下嫁了他，數十年後餘憤未平。倒是荀太太已經與現實媾和了，而且很知足，知道她目前的小家庭生活就算幸福的了。一旦紹甫死了生活無着，也準備自食其力。她對紹甫之死的冷酷，顯示她始終不愛他。但是一個人一輩子總也未免有情，不過她當年即使對那戀慕她的牌友動了心，又還能怎樣？也只好永遠念叨着那釘梢的了。

幾個人一個個心裏都有個小火山在，儘管看不見火，只偶爾冒點烟，並不像林女士說的『槁木死灰』，『痲木到近於無感覺』。這種隔閡，我想由來已久。我這不過是個拙劣的嘗試，但是『意在言外』『一說便俗』的傳統也是失傳了，我們不習慣看字裏行間的夾縫文章。而從另一方面說來，夾縫文章並不是打謎。林女士在引言裏說我的另一篇近作『色，戒』——

……是在探討人心中『價值感』的問題。（所以女主角的名字才諧音爲『王佳芝』？）

使我聯想到中國時報『人間』副刊上曾經有人說我的一篇小說『留情』中淡黃色的牆是民族觀念——偏愛黃種人的膚色——同屬紅樓夢索隱派。當然，連紅樓夢都有卜世仁（不是人），賈芸的舅舅。但是當時還脫不了小說是遊戲文章的看法，曹雪芹即使不同意，也不免偶一爲之。時至今日，還幼稚到用人物姓名來罵人或是暗示作書宗旨？

此外林女士還提起『相見歡』中的觀點問題。我一向沿用舊小說的全知觀點羼用在場人物觀點。各個人的對話分段。這一段內有某人的對白或動作，如有感想就也是某人的，不必加『他想』或『她想』。這是現今各國通行的慣例。這篇小說裏也有不少這樣的例子。林女士單挑出伍太太想的『外國有這句話：「死亡使人平等。」其實不等到死已經平等了。當然在一個女人是已經太晚了……』指爲『夾評夾叙』，是『作者對小說中人物的批判』，想必因爲原文引了一句英文名句，誤認爲是作者的意見。

伍太太『一肚子才學』（原文），但是沒說明學貫中西。伍太太實有其人，曾經陪伴伍先生留學英美多年，雖然沒有正式進大學，英文很好。我以爲是題外文章，略去未提。倘然提起過，她熟悉這句最常引的英語，就不至於顯得突兀了。而且她女兒自恨不能跟丈夫一同出國，也更有來由。以後要把這一點補寫進去，非常感謝林女士提醒我。

談吃與畫餅充飢

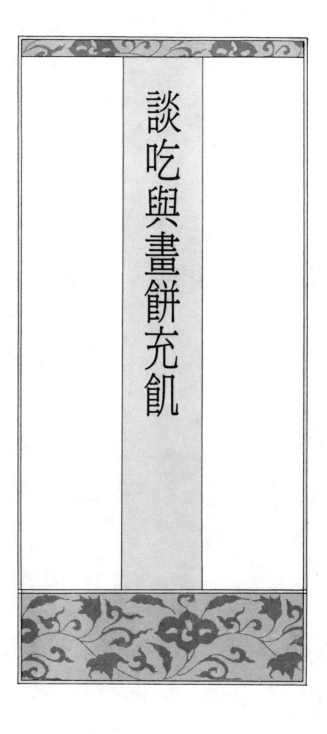

報刊上談吃的文字很多，也從來不嫌多。中國人好吃，我覺得是值得驕傲的，因爲是一種最基本的生活藝術。如插花與室內裝修，就不是人人都能做得到的，而相形之下又都是小事。『民以食爲天』，但看大餅油條的精緻，就知道『食』不光是塡飽肚子就算了。燒餅是唐朝自西域傳入，但是南宋才有油條，因爲當時對奸相秦檜的民憤，叫『油炸檜』，至今江南還有這名稱。我進的學校，宿舍裏走私販賣點心與花生米的老女傭叫油條『油炸檜』，我還以爲是『油炸鬼』——吳語『檜』讀作『鬼』。大餅油條同吃，由於甜鹹與質地厚韌脆薄的對照，與光吃燒餅味道大不相同，這是中國人自己發明的。有人把油條塞在燒餅裏吃，但是油條壓扁了就又稍差，因爲它裏面的空氣也是不可少的成分之一。

周作人寫散文喜歡談吃，爲自己辯護說『飲食男女，人之大慾存焉』，但是男女之事到處都是一樣，沒什麼可說的，而各地的吃食不同。這話也有理，不過他寫來寫去都是他故鄉紹興的幾樣最節儉清淡的菜，除了當地出筍，似乎也沒什麼特色。炒冷飯的次數多了，未免使人感到厭倦。一樣懷舊，由不同的作者寫來，就有興趣，大都有一個城市的特殊情調，或是濃厚的鄉土氣息。即使是連糯米或紅棗都沒有的窮鄉僻壤，要用代用品，不見得怎麼好吃，而由於懷鄉症與童年的回憶，自稱饞涎欲滴。這些代用品也都是史料。此外就是美食家的回憶錄，記載的名菜小吃不但眼前已經吃不到了，就有也走了樣，就連大陸上當地大概也絕跡了，當然更是史料。不過給一般讀者看，盛筵難再，不免有畫餅充飢之感，尤其是身在海外的人。我們中國人享慣口福，除了本土都是中國人的災區，赤地千里。——當然也不必慘到這樣。西諺有云：『二鳥在林中不如一鳥在手。』先談樹叢中啁啾的二鳥，雖然驚鴻一瞥，已經消逝了。

我姑姑有一次想吃『黏黏轉』，是從前田上來人帶來的青色的麥粒，還沒熟。我太五穀不分，無法想像，只聯想到『青禾』，王安石的新政之一，講『綱鑑易知錄』的老先生沉着臉在句旁連點一串點子，因爲擾民。總是捐稅了——還是貸款？我一想起來就腦子裏一片混亂，我姑姑的話根本沒聽清楚，只聽見下在一鍋滾水裏，滿鍋的小綠點子團團急轉——因此叫『黏黏（拈拈？年年？）轉』，吃起來有一股清香。

自從我小時候，田上帶來的就只有大麥麵子，暗黃色的麵粉，大概乾焙過的，用滾水加糖調成稠糊，有一種焦香，遠勝桂格麥片。藕粉不能比，只宜病中吃。出『黏黏轉』的田地也不知是賣了還是分家沒分到，還是這樣東西已經失傳了。田地大概都在安徽，我只知道有的在無爲州，這富於哲學意味與詩意的地名容易記。大麥麵子此後也從來沒見過，也沒聽說過。

韓戰的中共宣傳報導，寫士兵空心肚子上陣，餓了就在口袋裏撈一把『炒麵』往嘴裏送，想也就是跟炒米一樣，可以用滾水冲了吃的。炒米也就是美國五花八門的『早餐五穀』中的『吹脹米』（puffed rice），儘管製法不同。『早餐五穀』只要加牛奶，比煮麥片簡便，又適合西方人喝冷牛奶的習慣，所以成爲最大的工業之一。我們的炒米與大麥麵子——『炒麵』沒吃過不敢說——聽其自生自滅，實在可惜。

第一次看見大張的紫菜，打開來約有三尺見方，一幅脆薄細緻的深紫的紙，有點發亮，像有大波紋暗花的絲綢，微有摺痕，我驚喜得叫出聲來，覺得是中國人的傑作之一。紫菜湯含碘質，於人體有益，又是最簡便的速食，不過近年來似乎不大有人吃了。

聽見我姑姑說，『從前相府老太太看儒林外史，就看個吃。』親戚與傭僕都稱李鴻章的長媳『相府老太太』或是『二老太太』——大房是過繼的姪子李經芳。儒林外史我多年沒看見，除了救了匡超人一命的一碗綠豆湯，只記得每桌飯的菜單都很平實，是近代江南華中最常見的菜，當然對胃口，不像金瓶梅裏潘金蓮能用『一根柴禾就燉得稀爛』的豬頭，時代上相隔不遠，而有原始的恐怖感。

紅樓夢上的食物的一個特點是鵝，有『胭脂鵝脯』，想必是醃臘——醬鴨也是紅通通的。迎春『鼻膩鵝脂』『膚如凝脂』一般都指猪油。曹雪芹家裏當初似乎烹調常用鵝油，不止『松瓤鵝油捲』這一色點心。兒女英雄傳裏聘禮有一隻鵝。佟舅太太認爲新郎抱著一隻鵝『噶啊噶』的太滑稽。安老爺分辯說是古禮『奠雁（野鵝）』——當然是上古的男子打獵打了雁來奉獻給女方求婚。看來紅樓夢裏的鵝肉鵝油還是古代的遺風。金瓶水滸裏不吃鵝，想必因爲是北方，受歷代入侵的胡人的影響較深，有些漢人的習俗沒有保存下來。江南水鄉養鵝鴨也更多。

西方現在只吃鵝肝香腸，過去餐桌上的鵝比雞鴨還普遍。聖誕大餐的烤鵝，自十九世紀起才上行下效，逐漸爲美洲的火雞所取代。

我在中學宿舍裏吃過榨菜鵝蛋花湯，因爲鵝蛋大，比較便宜。彷彿有點腥氣，連榨菜的辣都掩蓋不住。在大學宿舍裏又吃過一次蛋粉製的炒蛋，有點像棉絮似的鬆散，而又有點黏搭搭的滯重，此外也並沒有異味。最近讀喬．索倫梯諾（Sorrentino）的自傳，是個紐約貧民區的不良少年改悔讀書，後來做了法官。他在獄中食堂裏吃蛋粉炒蛋，無法下咽，獄卒逼他吃，他嘔吐被毆打。我覺得這精壯小伙子也未免太脾胃薄弱了。我就算是嘴刁了，八九歲有一次吃雞湯，說『有藥味。怪味道。』家裏人都說沒什麼。我母親不放心，叫人去問廚子一聲。廚子說這隻雞是兩三天前買來養在院子裏，看牠垂頭喪氣的彷彿有病，給牠吃了『二天油』，像萬金油玉樹神油一類的油膏。我母親沒說什麼。我把臉埋在飯碗裏扒飯，得意得飄飄欲仙，是有生以來最大的光榮。

小時候在天津常吃鴨舌小蘿蔔湯，學會了咬住鴨舌頭根上的一隻小扁骨頭，往外一抽抽出來，像拔鞋拔。與豆大的鴨腦子比起來，鴨子眞是長舌婦，怪不得牠們人矮聲高，『呱呱呱』叫得那麼響。湯裏的鴨舌頭淡白色，非常清腴嫩滑。到了上海就沒見過這樣菜。

南來後也沒見過燒鴨湯——買現成的燒鴨煨湯，湯清而鮮美。燒鴨很小，也不知道是乳鴨還是燒烤過程中縮小的，赭黃的皺皮上毛孔放大了，一粒粒雞皮疙瘩突出，成爲小方塊圖案。這皮尤其好吃，整個是個洗盡油脂，消瘦淨化的烤鴨。吃鴨子是北邊人在行，北京烤鴨不過是一例。

在北方常吃的還有腰子湯，一副腰子與裏脊肉小蘿蔔同煮。裏脊肉女傭們又稱『腰梅肉』，大概是南京話，我一直不懂爲什麼叫『腰梅肉』，又不是霉乾菜燉肉。多年後才恍然，悟出是『腰眉肉』。腰上兩邊，打傷了最致命的一小塊地方叫腰眼。腰眼上面一寸左右就是『腰眉』了。眞是語言上的神來之筆。

我進中學前，有一次鋼琴教師在她家裏開音樂會，都是她的學生演奏，七大八小，如介紹我去的我的一個表姑，不是老小姐也已經是半老小姐，彈得也夠資格自租會堂表演，上報揚名了。交給我彈的一支，拍子又慢，又沒有曲調可言，又不踩腳踏，顯得稚氣，音符字字分明的四平調，非常不討好。彈完了沒什麼人拍手，但是我看見那白俄女教師略點了點頭，才放了心。散了會她招待吃點心，一溜低矮的小方桌拼在一起，各自罩上不同的白桌布，盤碟也都是雜湊的，有些茶杯的碟子，上面擺的全是各種小包子，彷彿有蒸有煎有川有烤，五花八門也不好意思細看。她拉着我過去的時候，也許我緊張過度之後感到委屈，犯起彆扭勁來，走過每一碟都笑笑說：『不吃了，謝謝。』她呻吟着睜大了藍眼睛表示駭異與失望，一個金髮的環肥徐娘，幾乎完全不會說英語，像默片女演員一樣用誇張的表情來補助。

幾年後我看魯迅譯的果戈爾的『死魂靈』，書中大量收購已死農奴名額的騙子，走遍舊俄，到處受士紳招待，吃當地特產的各種魚餡包子。我看了直踢自己。魯迅譯的一篇一九二六年的短篇小說『包子』，寫俄國革命後一個破落戶小姐在宴會中一面賣弄風情說著應酬話，一面猛吃包子。

近年來到蘇聯去的遊客，吃的都是例有的香腸魚子醬等，正餐似也沒有什麼特色。蘇俄樣樣缺貨，人到處奔走『覓食』排班，不見得有這閒心去做這些費工夫的麵食了。

離我學校不遠，兆豐公園對過有一家俄國麵包店老大昌（Tchakalian），各色小麵包中有一種特別小些，半球型，上面略有點酥皮，下面底上嵌着一隻半寸寬的十字托子，這十字大概麵和得較硬，裏面攙了點乳酪，微鹹，與不大甜的麵包同吃，微妙可口。在美國聽見『熱十字小麵包』（hot cross bun）這名詞，還以爲也許就是這種十字麵包。後來見到了，原來就是粗糙的小圓麵包上用白糖劃了個細小的十字，即使初出爐也不是香餑餑。

老大昌還有一種肉餡煎餅叫匹若嘰（pierogie），老金黃色，疲軟作布袋形。我因爲是油煎的不易消化沒買。多年後在日本到一家土耳其人家吃飯，倒吃到他們自製的匹若嘰，非常好。土耳其在東羅馬時代與俄國同屬希臘正教，本來文化上有千絲萬縷的關係。

六〇年間回香港，忽然在一條僻靜的橫街上看見一個招牌上赫然大書 Tchakalian，沒有中文店名。我驚喜交集，走過去卻見西晒的橱窗裏空空如也，當然太熱了不能擱東西，但是裏面的玻璃櫃台裏也只有寥寥幾只兩頭尖的麵包與扁圓的俄國黑麵包。店夥與從前的老大昌一樣，都是本地華人。我買了一只俄國黑麵包，至少是他們自己的東西，總錯不了。回去發現陳得其硬如鐵，像塊大圓石頭，切都切不動，使我想起笑林廣記裏（是煮石療飢的苦行僧？）『燒也燒不爛，煮也煮不爛，急得小和尚一頭汗。』好容易剖開了，裏面有一根五六寸長的淡黃色直頭髮，顯然是一名青壯年斯拉夫男子手製，驗明正身無誤，不過已經橘踰淮而爲枳了。

香港中環近天星碼頭有一家青鳥咖啡館，我進大學的時候每次上城都去買半打『司空』（scone），一種三角形小扁麵包——源出中期英語 schoon brot，第二字略去，意即精緻的麵包。司空也是蘇格蘭的一個地名，不知道是否因這土特產而得名。蘇格蘭國王加冕都坐在『司空之石』上，現在這塊石頭搬到威士敏寺，放在英王加冕的座椅下。蘇格蘭出威士忌酒，也是飲食上有天才的民族。他們有一樣菜傳爲笑柄，haggis，羊肚裏煮切碎的羊心肝與羊油麥片，但是那也許是因爲西方對於吃內臟有偏見。利用羊肚作爲天然盅，在貧瘠寒冷多山的島國，該是一味經濟實惠的好菜。不知道比竇娥的羊肚湯如何？

這『司空』的確名下無虛，比蛋糕都細潤，麵粉顆粒小些，吃着更『麵』些，但是輕清而不甜膩。美國就買不到。上次回香港去，還好，青鳥咖啡館還在，那低矮的小樓房倒沒拆建大厦。一進門也還是那熟悉的半環形玻璃櫃台，但是沒有『司空』。我還不死心，又上樓去。樓上沒去過，原來地方很大，整個樓面一大統間，黑洞洞的許多卡位，正是下午茶上座的時候。也並不是黑燈咖啡廳，不過老洋房光線不足，白天也沒點燈。樓梯口有個小玻璃櫃台，裏面全是像蠟製的小蛋糕。半黑暗中人聲嘈嘈，都是上海人在談生意。雖然鄉音盈耳，我頓時皇皇如喪家之犬，假裝找人匆匆掃視了一下，趕緊下樓去了。

香港買不到『司空』，顯示英國的影響的消退。但是我寓所附近路口的一家小雜貨店倒有『黛文郡（Devonshire）奶油』，英國西南部特產，厚得成爲一團團，不能倒，用茶匙舀了加在咖啡裏，連咖啡粉沖的都成了名牌咖啡了。

美國沒有『司空』，但是有『英國麥分（muffin）』，東部的較好，式樣與味道都有點像酒釀餅，不過切成兩片抹黃油。——酒釀餅有的有豆沙餡，酒釀的原味全失了。——英國文學作品裏常見下午茶吃麥分，氣候寒冷多雨，在壁爐邊吃黃油滴滴的熱麥分，是雨天下午的一種享受。

有一次在多倫多街上看櫥窗，忽然看見久違了的香腸捲——其實並沒有香腸，不過是一隻酥皮小筒塞肉——不禁想起小時候我父親帶我到飛達咖啡館去買小蛋糕，叫我自己挑揀，他自己總是買香腸捲。一時懷舊起來，買了四隻，油漬浸透了的小紙袋放在海關櫃台上，關員一臉不願意的神氣，尤其因為我別的什麼都沒買，無稅可納。美國就沒有香腸捲，加拿大到底是英屬聯邦，不過手藝比不上從前上海飛達咖啡館的名廚。我在飛機上不便拿出來吃，回到美國一嚐，油又大，又太辛辣，哪是我偶爾吃我父親一隻的香腸捲。

在上海我們家隔壁就是戰時天津新搬來的起士林咖啡館，每天黎明製麵包，拉起嗅覺的警報，一股噴香的浩然之氣破空而來，有長風萬里之勢，而又是最軟性的鬧鐘，無如鬧得不是時候，白吵醒了人，像惱人春色一樣使人沒奈何。有了這位『芳』鄰，實在是一種騷擾。

只有他家有一種方角德國麵包，外皮相當厚而脆，中心微濕，是普通麵包中的極品，與美國加了防腐劑的軟綿綿的枕頭麵包不可同日而語。我姑姑說可以不抹黃油，白吃。美國常見的只有一種德國黑麵包還好（Westphalianrye），也是方形，特別沉重，一磅只有三四寸長。不知道可是因為太小，看上去不實惠，銷路不暢，也許沒加防腐劑，又預先切薄片，幾乎永遠乾硬。

中國菜以前只有素齋加味精，現在較普遍，為了取巧。前一向美國在查唐人街餐館用的味精過多，於人體有害。他們自己最暢銷的罐頭湯裏的味精大概也不少，吃了使人口乾，像輕性中毒。美國罐頭湯還有麵條是藥中甘草，幾乎什麼湯裏都少不了它，等於吃麵。我剛巧最不愛吃湯麵，認爲『寬湯窄麵』最好窄到沒有，只剩一點麵味，使湯較清而厚。離開大陸前，因爲想寫的一篇小說裏有西湖，我還是小時候去過，需要再去看看，就加入了中國旅行社辦的觀光團，由旅行社代辦路條，免得自己去申請。在杭州導遊安排大家到樓外樓去吃螃蟹麵。

當時這家老牌飯館子還沒像上海的餐館『面向大衆』，菜價抑低而偷工減料變了質。他家的螃蟹麵的確是美味，但是我也還是吃掉澆頭，把湯逼乾了就放下筷子，自己也覺得在大陸的情形下還這樣暴殄天物，有點造孽。桌上有人看了我一眼，我頭皮一凜，心裏想幸而是臨時性的團體，如果走不成，不怕將來被清算的時候翻舊帳。

出來之後到日本去，貨輪上二等艙除了我只有一個上海裁縫，最典型的一種，上海本地人，毛髮濃重的貓臉，文弱的中等身材，中年，穿着灰撲撲的呢子長袍。在甲板上遇見了，我上前點頭招呼，問知他在東京開店，經常到香港採辦衣料。他陰惻惻的，忽然一笑，像隻剛吞下個金絲雀的貓，說：

『我總是等這隻船。』

這家船公司有幾隻小貨輪跑這條航線，這隻最小，載客更少，所以不另開飯，頭等就跟船長一桌吃，二等就跟船員一桌，一日三餐都是闊米粉麵條炒青菜肉片，比普通炒麵乾爽，不油膩。菜與肉雖少，都很新鮮。二等的廚子顯然不會做第二樣菜，十天的航程裏連吃了十天，也吃不厭。三四個船員從泰國經香港赴日，還不止十天，看來也並沒吃倒胃口。多年後我才看到『炒米粉』『炒河粉』的名詞，也不知道那是否就是，也從來沒去打聽，也是因爲可吃之物甚多。

那在美國呢？除非自己會做菜，再不然就是同化了，漢堡熱狗圈餅甘之如飴？那是他們自己稱爲 junk food（廢料食品）的。漢堡我也愛吃，不過那肉餅大部份是吸收了肥油的麵包屑，有害無益，所以總等幾時路過荒村野店再吃，無可選擇，可以不用怪自己。

西方都是『大塊吃肉』，不像我們切肉絲肉片可以按照絲縷順逆，免得肉老。他們雖然用特製的鐵鎚槌打，也有『柔嫩劑』，用一種熱帶的瓜菓製成，但是有點辛辣，與牛排豬排烤牛肉燉牛肉的質樸的風味不合。中世紀以來都是靠吊掛，把野味與宰了的牲口高掛許多天，開始腐爛，自然肉嫩了。所以 high（高）的一義是『臭』，gamey（像野味）也是『臭』。二〇年間有的女留學生進過烹飪學校，下過他們的廚房，見到西餐的幕後的，皺着眉說：『他們的肉眞不新鮮。』直到現在，名小說家詹姆斯・密契納的西班牙遊記『Iberia』還記載一個遊客在餐館裏點了一道斑鳩，嫌腐臭，一戳骨架子上的肉片片自落，叫侍者拿走，說：『爛得可以不用烹調了。』

但是在充分現代化的國家，冷藏系統普遍，講究新鮮衞生，要肉嫩，唯一的辦法是烹調得不太熟——生肉是柔軟的。照理牛排應當裏面微紅，但是火候扣不準，而許生不許熟，往往在盤中一刀下去就流出血水來，使我們覺得他們茹毛飲血。

美國近年來肥肉沒銷路，農人要豬多長瘦肉，訓練豬隻站着吃飼料，好讓腰腿上肌肉發達，其堅韌可想而知。以前最嫩的牛肉都是所謂『大理石式』（marbled），瘦中稍微帶點肥，像雲母石的圖案。現在要淨瘦，自然更老了，上桌也得更夾生，不然嚼不動。

近年來西餐水準的低落，當然最大的原因是減肥防心臟病。本來的傳統是大塊吃肉，特長之一又是各種濃厚的澆汁，都是膽固醇特高的。這一來章法大亂，難怪退化了。再加上其他官能上的享受的競爭，大至性氾濫，小至滑翔與弄潮板的流行，至不濟也還有電視可看。幾盒電視餐，或是一只義大利餅，一家人就對付了一頓。時髦人則是生胡蘿蔔汁，帶餿味的酸酪（yogurt）。尼克森總統在位時自詡注重健康，吃蕃茄醬拌cottage cheese，橡皮味的脫脂牛奶渣。

五〇中葉我剛到紐約的時候，有個海斯康（Hascom）西點店，大概是丹麥人開的，有一種酥皮特大小蛋糕叫『拿破崙』，間隔著夾一層菓醬，一層奶油，也不知道是拿破崙愛吃的，還是他的宮廷裏興出來的。他的第二任皇后瑪麗露薏絲是奧國公主，奧京維也納以奶油酥皮點心聞名。海斯康是連鎖商店，到底不及過去上海的飛達起士林。飛達獨有的拿手的是栗子粉蛋糕與『乳酪稻草』——半螺旋形的鹹酥皮小條。去年新聞週刊上有篇書評，盛讚有個夫婦倆合著的一本書，書中發掘美國較偏僻的公路上的餐館，據說常有好的，在有一家吃到『乳酪稻草』。書評特別提起，可知罕見。我在波士頓與巴爾的摩吃過兩家不重裝潢的老餐館，也比紐約有些做出牌子的法國菜館好。巴爾的摩是溫莎公爵夫人的故鄉，與波士頓都算是古城了。兩家生意都清，有一家不久就關門了。我來美不到一年，海斯康連鎖西點店也關門了。奶油本來是減肥大忌。當時的雞尾酒會裏也有人吃生胡蘿蔔片下酒。

最近路易西安那州有個小城居民集體忌嘴一年，州長頒給四萬美元獎金，作爲一項實驗，要減低心臟病高血壓糖尿病的死亡率。當地有人說笑話，說有一條定律：『如果好吃，就吐掉它。』

現在吃得壞到食品招牌紙上最走紅的一個字是old-fashioned（舊式）。反正從前的總比現在好。新出品『舊式』花生醬沒加固定劑，沉澱下來結成餅，上面汪着油，要使勁攪勻，但是較有花生香味。可惜曇花一現，已經停製了，當然是因爲顧客嫌費事。前兩年聽說美國食品藥物管理處公佈，花生醬多吃致癌。花生本身是無害的，總是附加的防腐劑或是固定劑致癌。舊式花生醬沒有固定劑，而且招牌紙上叫人擱在冰箱裏，可見也沒有防腐劑。就爲了懶得攪一下，甘冒癌症的危險，也眞夠懶的。

美國人在吃上的自卑心理，也表現在崇外上，尤其是沒受美國影響的外國，如東歐國家。吃在西歐已經或多或少的美國化了，連巴黎都興吃漢堡與炸鷄等各種速食。前一向NBC電視洛杉磯本地新聞節目上破例介紹一家波蘭餐館，新從華沙搬來的老店，老闆娘親自掌廚。一男一女兩個報告員一吹一唱好幾分鐘，也並不是代做廣告，電視上不允許的，看來是由衷的義務宣傳。

此地附近有個羅馬尼亞超級市場，畢竟鐵幕後的小國風氣閉塞，還保存了一些生活上的傳統，光是自製的麵包就比市上的好。他們自製的西點却不敢恭維，有一種油炸蜜浸的小棒棒，形狀像有直棱的古希臘石柱，也一樣堅硬。我不禁想起羅馬尼亞人是羅馬駐防軍與土著婦女的後裔，因此得名。不知道這些甜食裏有沒有羅馬人吃的，還是都來自回教世界？巴爾幹半島在土耳其統治下吸收了中東色彩，糕餅大都香料太重，連上面的核桃都香得辛辣，又太甜。在柏克萊，附近街口有一家伊朗店，號稱『天下第一酥皮點心』。我買了一塊夾蜜的千層糕試試，奇甜。自從伊朗劫持人質事件，美國的伊朗菜館都改名『中東菜館』，此地附近有一家『波斯菜館』倒沒改，大概因爲此間大都不知道波斯就是伊朗。

這羅馬尼亞店還有冷凍的西伯利亞餛飩，叫『佩爾米尼』，沒荷葉邊、扁圓形，只有棋子大，皮薄，牛肉餡，很好吃，而且不像此地的中國餛飩擱味精。西伯利亞本來與滿蒙接壤。西伯利亞的愛斯基摩人往東遷移到加拿大格陵蘭。本世紀初，照片上的格陵蘭愛斯基摩女人還梳著漢朝陶俑的髮髻，直豎在頭頂，中國人看著實在眼熟。

這家超級市場兼售熟食，標明南斯拉夫羅馬尼亞德國義大利火腿，阿米尼亞（近代分屬蘇俄伊朗土耳其）香腸等等，還有些沒有英譯名的蒜椒燻肉等。羅馬尼亞火腿唯一的好處在淡，顏色也淡得像白切肉。德國的『黑樹林火腿』深紅色，比此間一般的與丹麥罐頭火腿都香。但是顯然西方始終沒解決肥火腿的問題，只靠切得飛薄，切斷肥肉的纖維，但也還是往往要吐渣子。哪像中國肥火腿切丁，蒸得像暗黃色水晶一樣透，而仍舊有勁道，並不入口即融，也許是火腿最重要的一部份，而不是贅瘤。——華府東南城離國會圖書館不遠有個『農民市場』，什麼都比別處好，例如鄉下自製的『浴盆（tub）黃油』。有切厚片的醃豬肉（bacon），倒有點像中國火腿。

羅馬尼亞店的德國香腸太酸，使我想起買過一瓶波蘭小香腸，浸在醋裏，要在自來水龍頭下沖洗過才能吃，也還是奇酸。德國與波蘭本來是鄰邦。又使我想起余光中先生『北歐行』一文中，都塞道夫一家餐館的奇酸的魚片。最具代表性的德國菜又是sauerkraut（酸捲心菜），以至於Kraut一字成爲德國人的代名詞，雖然是輕侮的，有時候也作爲暱稱，影星瑪琳黛德麗原籍德國，她有些朋友與影評家就叫她 the Kraut。

中國人出國旅行，一下飛機就直奔中國飯館，固然是一項損失，有些較冷門的外國菜也是需要稍具戒心，大致可以概括如下：酸德國波蘭、甜猶太──猶太教領聖餐喝的酒甜得像糖漿，市上的摩根・大衞牌葡萄酒也一樣，kosher（合教規的食品）鷄肝泥都擱不少糖，但是我也在康橋買到以色列製的苦巧克力──當然也並不苦，不過不大甜；辣回回，包括印尼馬來西亞，以及東歐的土耳其帝國舊屬地。印度與巴基斯坦本是一體，所以也在內，雖然不信回教。藍色的多瑙河一流進匈牙利，兩岸的農夫吃午餐，都是一只黑麵包，一小鍋辣煨蔬菜。匈牙利名菜『古拉失』（goulash）──蔬菜燉牛肉小牛肉──就辣。埃及的『國菜』是辣煨黃豆，有時候打一只雞蛋在上面，做為營養早餐。觀光旅館概不供應。

西班牙被北非的回教徒摩爾人征服過，墨西哥又被西班牙征服過，就都愛吃辣椒。中世紀法國南部受西班牙的摩爾人的影響很大。當地的名菜，海鮮居多，大都擱辣椒粉辣椒汁。

辣味固然開胃，嗜辣恐怕還是 an educated taste（教練出來的口味）。在回教發源地沙烏地阿拉伯，沙漠裏日夜氣溫相差極大，白天酷熱，人民畜牧為生，逐水草而居，沒有地窖可以冷藏食物。辣的香料不但防腐，有點氣味也遮蓋過去了。非洲腹地的菜也離不了辣椒，是熱帶的氣候關係，還是受北非東非西非的回教徒影響，就不得而知了。

這爿羅馬尼亞店裏有些罐頭上只有俄文似的文字，想必是羅馬尼亞文了，巴爾幹半島都是南方的斯拉夫人。有一種罐頭上畫了一隻彎彎的紫茄子。美國的大肚茄子永遠心裏爛，所以我買了一聽罐頭茄子試試，可不便宜——難道是茄子塞肉？原來是茄子泥，用豆油或是菜籽油，氣味強烈衝鼻。裏面的小黑點是一種香料種籽。瓜菜全都剁成醬，也跟印度相同。

猶太麵包『瑪擦』（matso）像蘇打餅乾而且較有韌性，夾鯽魚（herring）與未熟乳酪（cream cheese）做三明治，外教人也視爲美食。沒有『瑪擦』，就用普通麵包也不錯。不過這罐頭魚要滴上幾滴檸檬與瓶裝蒜液（Liquidgarlic）去腥氣——擔保不必用除臭劑漱口，美國的蒜沒蒜味。我也聽見美國人說過，當然是與歐洲的蒜相對而言；即使到過中國，在一般的筵席上也吃不到。

阿拉伯麵包這爿店就有，也是回教的影響。一疊薄餅裝在玻璃紙袋裏，一張張餅上滿佈著燒焦的小黑點，活像中國北邊的烙餅。在最高溫的烤箱熄火後急烤兩分鐘，味道也像烙餅，可以捲炒蛋與豆芽菜炒肉絲吃——如果有的話。豆芽菜要到唐人街去買。多數超級市場有售的冷凍『炒麵』其實就是豆芽菜燒荸薺片，沒有麵條，不過豆芽菜根本沒摘淨，像有刺。

我在三藩市的時候，住得離唐人街不遠，有時候散散步就去買點發酸的老豆腐——嫩豆腐沒有。有一天看到店鋪外陳列的大把紫紅色的莧菜，不禁怦然心動，但是炒莧菜沒蒜，不值得一炒。此地的蒜乾薑癟棗，又沒蒜味。在上海我跟我母親住的一個時期，每天到對街我舅舅家去吃飯，帶一碗菜去。莧菜上市的季節，我總是捧著一碗烏油油紫紅夾墨綠絲的莧菜，裏面一顆顆肥白的蒜瓣染成淺粉紅。在天光下過街，像捧著一盆常見的不知名的西洋盆栽，小粉紅花，斑斑點點暗紅苔綠相同的鋸齒邊大尖葉子，朱翠離披，不過這花不香，沒有熱呼呼的莧菜香。

日本料理不算好，但是他們有些原料很講究，例如米飯，又如豆腐。在三藩市的一個日本飯館裏，我看見一碟潔白平正的豆腐，約有五寸長三寸寬，就像是生豆腐，又沒有火鍋可投入。我用湯匙舀了一角，就這麼吃了。如果是鹽開水燙過的，也還是淡。但是有清新的氣息，比嫩豆腐又厚實些。結果一整塊都是我一個人吃了。想問女侍他們的豆腐是在哪買的，想著我不會特別到日人街去買，也就算了。

在三藩市的義大利區，朋友帶著去買過一盒菜肉餡義大利餃，是一條冷靜的住家的街，灰白色洋灰殼的三四層樓房子，而是一爿店，就叫 Ravioli Factory（『義大利餃廠』）。附有小紙杯澆汁，但是我下在鍋裏煮了一滾就吃，不加澆汁再烤。菜色青翠，清香撲鼻，活像薺菜餃子，不過小巧些。八九年後再到三藩市，那地址本就十分模糊，電話簿上也查不到，也許關門了。

美國南方名點山核桃批（pecan pie）是用豬油做的，所以味道像棗糕，蒸熟烤熟了更像。棗糕從前我們家有個老媽媽會做。三〇年間上海開過一家『仿（御）膳』的餐館，有小窩窩頭與棗糕，不過棗糕的模子小些，因此核桃餡太少，麵粉裏和的棗泥也不夠多，太板了些。

現代所有繁榮的地區都生活水準普遍提高，勞動減少，吃得太富營養，一過三十歲就有中風的危險。中國的素菜小葷本來是最理想的答覆。我覺得發明炒菜是人類進化史上的一個小小里程碑。幾乎只要到菜場去拾點斷爛菜葉邊皮，回來大火一鞭，就能化腐朽爲神奇。不過我就連會做的兩樣最簡單的菜也沒準，常白糟蹋東西又白費工夫，一不留神也會油鍋起火，洗油鍋的去垢棉又最傷手，索性洗手不幹了。已經患『去垢粉液手』（detergent hands），連指紋都沒有了，倒像是找醫生消滅掉指紋的積犯。

有個美國醫生勸我吃魚片火鍋，他們自己家裏也吃，而且不用火鍋也行。但是普通超級市場根本沒有生魚，火鍋裏可用的新鮮蔬菜也只有做沙拉的生菜，極少營養價值。深綠色的菜葉如菠菜都是冷凍的。像他當然是開車上唐人街買青菜。大白菜就沒有葉綠素。

人懶，一不跑唐人街，二不去特大的超級市場，就是街口兩家，也難得買熟食，不吃三明治就都太鹹；三不靠港台親友寄糧包——親友自也是一丘之貉，懶得跑郵局，我也懶得在信上詳細叮囑，寄來也不合用，寧可湊合著。

久已有學者專家預期世界人口膨脹到一個地步，會鬧嚴重的糧荒，在試驗較經濟的新食物，如海藻蚯蚓。但是就連魚粉，迄今也只餵雞。近年來幾次大災荒，救濟物資裏也沒有魚粉蛋粉，也許是怕挨駡，說不拿人當人，飼雞的給人吃。海藻只有日本味噌湯中是舊有的。中國菜的海帶全靠同鍋的一點肉味，海帶本身滑塌塌沈甸甸的，毫無植物的清氣，我認爲是失敗的。

我母親從前有親戚帶蛤蟆酥給她，總是非常高興。那是一種半空心的脆餅，微甜，差不多有巴掌大，狀近肥短的梯形，上面芝麻撒在苔綠地子上，綠陰陰的正是一隻青蛙的印象派畫像。那綠絨倒就是海藻粉。想必總是沿海省分的土產，也沒有包裝，拿了來裝在空餅乾筒裏。我從來沒在別處聽見說過這樣東西。過去民生艱苦，無法大魚大肉，獨多這種膽固醇低的精巧的食品，湮滅了實在太可惜。尤其現在心臟病成了國際第一殺手，是比糧荒更迫切的危機。

無疑的，豆製品是未來之潮。黃豆是最無害的蛋白質。就連瘦肉裏面也有所謂『隱藏的脂肪』

（hidden fat）。魚也有肥魚瘦魚之別。

前兩年有個營養學家說：『雞蛋唯一的功用是孵成雞。』他的同行有的視爲過激之論，但是許多醫生都對雞蛋採配給制，一兩天或一兩個星期一只不等。眞是有心臟病高血壓，那就只好吃只大鴨蛋了。中外一致認爲最滋補壯陽的生鷄蛋更含有毒素。

有人提倡漢堡裏多摻黃豆泥，沾上牛肉味，吃不出分別來。就恐怕肉太少了不夠味，多了，牛肉是肉類中膽固醇最高的。電視廣告上常見的『漢堡助手』，我沒見過盒面上列舉的成分，不知道有沒有豆泥，還是仍舊是麵包屑。只看見超級市場有煎了吃的素臘腸，想必因爲臘腸香料重，比較容易混得過去。

美國現在流行素食，固然是膽固醇恐慌引起的『恐肉症』，認爲吃素比肉食健康，一方面也是許多青年對禪宗有興趣，佛敎戒殺生，所以他們也對『吃動物的屍體』感到憎怖。中國人常常嘲笑我們的吃素人念念不忘葷腥；素鷄素鵝素鴨素蛋素火腿層出不窮，不但求形式，還求味似。也是靠材料豐富，有多樣性，光是乾燥的豆腐就有豆腐皮豆腐干，腐竹百葉，大小油豆腐——小球與較鬆軟吸水的三角形大喇叭管——質地性能各各不同。在豆製品上，中國是唯一的先進國。只要有興趣，一定是中國人第一個發明味道可以亂眞的素漢堡。譬如豆腐渣，澆上吃剩的紅燒肉湯汁一炒，就是一碗好菜，可見它吸收肉味之敏感；纍纍結成細小的一球球，也比豆泥像碎肉。少摻上一點牛肉，至少是『花素漢堡』。

國語本『海上花』譯後記

陳世驤教授有一次對我說：『中國文學的好處在詩，不在小說。』有人認爲陳先生不夠重視現代中國文學。其實我們的過去這樣悠長傑出，大可不必爲了最近幾十年來的這點成就斤斤較量。反正他是指傳統的詩與小說，大概沒有疑義。

當然他是對的。就連我這最不多愁善感的人，也常在舊詩裏看到一兩句切合自己的際遇心情，不過是些世俗的悲歡得失，詩上竟會有，簡直就像是爲我寫的，或是我自己寫的——不過寫不出——使人千載之下感激震動，像流行歌偶有個喜歡的調子，老在頭上心上縈廻不已。舊詩的深廣可想而知。詞的世界就彷彿較小，較窒息。

舊小說好的不多，就是幾個長篇小說。

『水滸傳』源自民間傳說編成的話本，有它特殊的歷史背景，近年來才經學者研究出來，是用梁山泊影射南宋抗金的游擊隊。當時在異族的統治下，說唱者與聽衆之間有一種默契，現代讀者沒有的。在現在看來，純粹作為小說，那還是金聖嘆刪剩的七十一回本有真實感。因為中國從前沒有『不要君主』的觀念，反叛也往往號稱勤王，淸君側。所以梁山泊也只反抗貪官汚吏，雖然打家劫舍，甚至於攻城略地，也還是『忠心報答趙官家』（阮小七歌詞）。這可以歸之於衆好漢不太認眞的自騙自，與他們的首領宋江或多或少的僞善——也許僅只是做領袖必須有的政治手腕。當眞受招安征方臘，故事就失去了可信性，結局再悲涼也沒用了。因此『水滸傳』是歷經金、元兩朝長期淪陷的時代累積而成的鉅著，後部有 built-in（與藍圖俱來的）毛病。

『金瓶梅』採用『水滸傳』的武松殺嫂故事，而延遲報復，把姦夫淫婦移植到一個多妻的家庭裏，讓他們多活了幾年。這本來是個巧招，否則原有的六妻故事照當時的標準不成為故事。不幸作者一旦離開了他最熟悉的材料，再回到『水滸』的架構內，就機械化起來。事實是西門慶一死就差多了，春梅孟玉樓，就連潘金蓮的個性都是與他相互激發行動才有戲劇有生命。所以不少人說過後部遠不如前。

中共的『文滙』雜誌一九八一年十一月號有一篇署名夏閎的『雜談金瓶梅詞話』，把重心放在當時的官商勾結上。那是典型的共產主義的觀點，就像蘇俄讚美狄更斯暴露英國產業革命時代的慘酷。其實儘有比狄更斯寫得更慘的，狄更斯的好處不在揭發當時社會的黑暗面。但是夏文分析應伯爵生子一節很有獨到處。西門慶剛死了兒子，應伯爵倒為了生兒子的花費來借錢，正觸著痛瘡，只好極力形容丑化小戶人家添丁的苦處，才不犯忌。我看過那麼些遍都沒看出這一層，也可見這部書精采場面之多與含蓄。書中色情文字並不是不必要，不過不是少了它就站不住。

『水滸傳』被腰斬，『金瓶梅』是禁書，『紅樓夢』沒寫完，『海上花』沒人知道。此外就只有『三國演義』、『西遊記』、『儒林外史』是完整普及的。三本書倒有兩本是歷史神話傳說，缺少格雷亨・葛林（Greene）所謂『通常的人生的廻聲』。似乎實在太貧乏了點。

『海上花』寫這麼一批人，上至官吏，下至店夥西崽，雖然不是一個圈子裏的人，都可能同桌吃花酒。社交在他們生活裏的比重很大。就連陶玉甫李漱芳這一對情侶，自有他們自己的內心生活，玉甫還是有許多不可避免的應酬。李漱芳這位東方茶花女，他要她搬出去養病，『大拂其意』，她寧可在妓院『住院』，忍受嘈音。大概因爲一搬出去另租房子，就成了他的外室，越是他家人不讓他娶她爲妻，她偏不嫁他作妾；而且退藏於密，就不能再共遊宴，不然即使在病中，也還可以讓跟局的娘姨大姐釘著他，寸步不離。一旦內外隔絕，再信任他也還是放心不下。

陶玉甫李漱芳那樣强烈的感情，一般人是沒有的。書中的普通人大概可以用商人陳小雲做代表——同是商人，洪善卿另有外快可賺，就不夠典型化。第二十五回洪善卿見了陳小雲，問起莊荔甫請客有沒有他，以及莊荔甫做掮客掮的古玩有沒有銷掉點。『須臾詞窮意竭，相對無聊。』在全國最繁華的大都市裏，這兩個交遊廣闊的生意人，生活竟這樣空虛枯燥，令人愕然慘然，原來一百年前與現代是不同。他們連麻將都不打，洪善卿是不會，陳小雲是不賭。唯一的娛樂是嫖，而都是四五年了的老交情，從來不想換新鮮。這天因爲悶得慌，同去應邀吃花酒之前先到小雲的相好金巧珍處打茶圍。小雲故意激惱巧珍，隨又說明是爲了解悶。——這顯然是他們倆維持熱度的一種調情方式。後文巧珍也有一次故意起波瀾，拒絕替他代酒，怪她姐姐金愛珍不解風情，打圓場自告奮勇要替他喝這杯酒。——巧珍因而翻舊帳，提起初交時他的一句嘔人的話。沒有感情她絕不會一句玩話幾年後還記得，所以這一回回目說她『翻前事搶白更多情』。

兩人性格相仿，都圓融練達。小雲結交上了齊大人，向她誇耀，當晚過了特別歡洽的一夜。丈夫遇見得意的事回家來也是這樣。這也就是愛情了。

『婊子無情』這句老話當然有道理，虛情假意是她們的職業的一部分。不過就『海上花』看來，當時至少在上等妓院——包括次等的么二——破身不太早，接客也不太多，如周雙珠幾乎閒適得近於空閨獨守——當然她是老鴇的親生女兒，多少有點特殊身分，但是就連雙寶，第十七回洪善卿也詫異她也有客人住夜。白晝宣淫更被視爲異事。（見第二十六回陸秀林引楊家媽語）在這樣人道的情形下，女人性心理正常，對稍微中意點的男子是有反應的。如果對方有長性，來往日久也容易發生感情。

洪善卿周雙珠還不只四五年，但是王蓮生一到江西去上任，洪善卿就『不大來』了。顯然是因爲洪善卿追隨王蓮生，替他跑腿，應酬場中需要有個長三相好，有時候別處不便密談，也要有個落脚的地方，等於他的副業的辦公室。但是他與雙珠之間有徹底的了解。他替沈小紅轉圜，一定有酬勞可拿；與雙珠拍檔調停雙玉的事，敲詐到的一萬銀元他也有份。

雙珠世故雖深，宅心仁厚。她似乎厭倦風塵，勸雙玉不要太好勝的時候，就說反正不久都要嫁人的，對善卿也說這話。他沒接這個碴，但是也坦然，大概知道她不屬意於他。

他看出她有點妒忌新來的雙玉生意好，也勸過她。有一次講到雙玉欺負雙寶，他說：『你幸虧不是討人，不然她也要看不起你了。』明指她生意竟不及一個清倌人。雙珠倒也不介意，眞是知己了。

書中屢次刻劃洪善卿的勢利淺薄，但是他與雙珠的友誼，他對雙寶阿金的同情，都給他深度厚度，把他這人物立體化了。慰雙寶的一場小戲很感動人。——雙寶搬到樓下去是貶謫，想必因爲樓下人雜，沒有樓上嚴緊。

羅子富與蔣月琴也四五年了。她有點見老了，他又愛上了黃翠鳳。但是他對翠鳳的傾慕倒有一大半是佩服她的爲人，至少是靈肉並重的。他最初看見她坐馬車，不過很注意，有了個印象，也並沒打聽她是誰，不能算驚艷或是一見傾心。聽見她制伏鴇母的事才愛上了她。此後一度稍稍冷了下來，因爲他詫異她自立門戶的預算開支那麼大，有點看出來她敲他竹槓。她遷出的前夕，他不預備留宿，而她堅留，好讓他看她第二天早上改穿素服，替父母補穿孝，又使他戀慕這孝女起來。

戀愛的定義之一，我想是誇張一個異性與其他一切異性的分別。書中這些嫖客的從一而終的傾向，並不是從前的男子更有惰性，更是『習慣的動物』，不想換口味追求刺激，而是有更迫切更基本的需要，與性同樣必要——愛情。過去通行早婚，因此性是不成問題的。但是婚姻不自由，買妾納婢雖然是自己看中的，不像堂子裏是在社交的場合遇見的，而且總要來往一個時期，即使時間很短，也還不是穩能到手，較近通常的戀愛過程。這制度化的賣淫，已經比賣油郎花魁女當時的手續高明得多了——就連花魁女這樣的名妓，也是陌生人付了夜渡資就可以住夜。日本歌舞伎中的青樓（劇中也是漢字『青樓』）也是如此。——到了『海上花』的時代，像羅子富叫了黃翠鳳十幾個局，認識了至少也有半個月了。想必是氣她對他冷淡，故意在蔣月琴處擺酒，饞她，希望她對他好點，結果差點弄巧成拙鬧翻了。他全面投降之後，又還被澆冷水，飽受挫折，才得遂意。

琪官說她和瑤官羨慕倌人，看哪個客人好，就嫁哪個。雖然沒這麼理想，妓女從良至少比良家婦女有自決權。嫁過去雖然家裏有正室，不是戀愛結合的，又不同些。就怕以後再娶一個回去，不過有能力三妻四妾的究竟不多。

盲婚的夫婦也有婚後發生愛情的，但是先有性再有愛，缺少緊張懸疑、憧憬與神秘感，就不是戀愛，雖然可能是最珍貴的感情。戀愛只能是早熟的表兄妹，一成年，就只有妓院這髒亂的角落裏還許有機會。再就只有聊齋中狐鬼的狂想曲了。

直到民初也還是這樣。北伐後，婚姻自主、廢妾、離婚才有法律上的保障。戀愛婚姻流行了，寫妓院的小說忽然過了時，一掃而空，該不是偶然的巧合。

『海上花』第一個專寫妓院，主題其實是禁果的菓園，填寫了百年前人生的一個重要的空白。書中寫情最不可及的，不是陶玉甫李漱芳的生死戀，而是王蓮生沈小紅的故事。

王蓮生在張蕙貞的新居擺雙枱請客，被沈小紅發現了張蕙貞的存在，兩番大鬧，鬧得他『又羞又惱，又怕又急。』她哭著當場尋死覓活之後，陪他來的兩個保駕的朋友先走，留下他安撫她。

小紅却也抬身送了兩步，說道：『倒難為了你們。明天我們也擺個雙枱謝謝你們好了。』說著倒自己笑了。蓮生也忍不住要笑。

她在此時此地竟會幽默起來，更奇怪的是他也笑得出。可見他們倆之間自有一種共鳴，別人不懂的。如沈小紅所說，他和張蕙貞的交情根本不能比。

第五回寫王蓮生另有了個張蕙貞，回目『墊空檔快手結新歡』，『墊空檔』一語很費解。沈小紅並沒有離開上海，一直與蓮生照常來往。除非是因為她跟小柳兒在熱戀，對他自然與前不同了。他不會不覺得，雖然不知道原因。那他對張蕙貞自始至終就是反激作用，借她來塡滿一種無名的空虛悵惘。

異性相吸，除了兩性之間，也適用於性情相反的人互相吸引。小紅大鬧時，『蓬頭垢面，如鬼怪一般』，蓮生也並沒倒胃口，後來還舊事重提，要娶她。這純是感情，並不是暴力刺激情慾。打鬥後，小紅的女傭阿珠提醒他求歡贖罪，他勉力以赴，也是為了使她相信他還是愛她。

他們的事已經到了花錢買罪受的階段。一方面他倒十分欣賞小悍婦周雙玉，雖然雙玉那時候還圭角未露。人生的反諷往往如此。

劉半農為書中白描的技巧舉例，引這兩段，都是與王蓮生有關的：

蓮生等撞過『亂鐘』，屈指一數，恰是四下，乃去後面露台上看時，月色中天，靜悄悄的，並不見有火光。回到房裏，適值一個外場先跑回來報說：『在東棋盤街那兒。』蓮生忙踹在桌子旁高椅上，開直了玻璃窗向東南望去，在牆缺裏現出一條火光來。（第十一回）

阿珠只裝得兩口烟，蓮生便不吸了，忽然盤膝坐起，意思要吸水烟。巧囡送上水烟筒，蓮生接在手中，自吸一口，無端掉下兩點眼淚。（第五十四回，原第五十七回）

第一段有舊詩的意境。第二段是沈小紅的舊僕阿珠向蓮生問起：『小紅先生那兒這就是個娘在跟局？』又問：『那麼大阿金出來了，大姐也不用？』蓮生只點點頭。下接吸水烟一節。小紅爲了姘戲子壞了名聲，落到這地步。他對她徹底幻滅後，也還餘情未了。寫他這樣令人不齒的儒夫，能提升到這樣淒清的境界，在愛情故事上是個重大的突破。

我十三四歲第一次看這書，看完了沒得看了，才又倒過來看前面的序。看到劉半農引這兩段，又再翻看原文，是好！此後二十年，直到出國，每隔幾年再看一遍『紅樓夢』『金瓶梅』，只有『海上花』就我們家從前那一部亞東本，看了『胡適文存』上的『海上花』序去買來的，別處從來沒有。那麼些年沒看見，也還記得很清楚，尤其是這兩段。

劉半農大概感性强於理性，竟輕信清華書局版許堇父序與魯迅『中國小說史略』所記傳聞，以爲『海上花』是借債不遂，寫了罵趙樸齋的，理由是㈠此書最初分期出版時，『例言』中說：

所載人名事實，均係憑空揑造，並無所指。

劉半農認爲這是小說家慣技；這樣鄭重聲明，更欲蓋彌彰，是『不打自招』；㈡趙樸齋與他母妹都不是什麼壞人，在書中還算是善良的，而下場比誰都慘，分明是作者存心跟他們過不去。

『書中人物純係虛構』，已經成爲近代許多小說例有的聲明，似不能指爲『不打自招。』好人沒有好下場，就是作者借此報復洩憤，更是奇談，彷彿世界上沒有悲劇這樣東西，永遠善有善報，惡有惡報。

胡適分析許序與魯迅的小說史，列舉二人所記傳聞的矛盾：

許：趙樸齋盡買其書而焚之。（顯然出單行本時趙尚未死。）

魯：趙重賂作者，出到第二十八回輟筆。趙死後乃續作全書。

許：作者曾救濟趙。

魯：趙常救濟作者。

許：趙妹實曾爲娼。

魯：作者誣她爲娼。

胡適又指出韓子雲一八九一年秋到北京應鄉試，與暢銷作家海上漱石生（孫玉聲）同行南歸，孫可以證明他當時不是個窮極無聊靠敲詐爲生的人。『海上花』已有廿四回稿，出示孫。次年二月，頭兩回就出版了，到十月出版到第二十八回停版，十四個月後出單行本。

寫印一部二十五萬字的大書要費多少時間？中間那有因得『重賂』而輟筆的時候？

又引末尾趙二寶被史三公子遺棄，吃盡苦頭，被惡客打傷了，昏睡做了個夢，夢見三公子派人來接她。她夢中向她母親說的一句話，覺得單憑這一句，『這書也就不是一部謗書』：

媽，我們到了三公子家裏，起先的事，不要去提起。

這十九個字，字字是血，是淚，眞有古人說的『溫柔敦厚，怨而不怒』的風格！這部『海上花列傳』也就此結束了。

——胡適序第二節

此書結得現代化，戛然而止。作者踽踽走在時代前面，不免又有點心虛膽怯起來，找補了一篇『跋』，一一交代諸人下場，假託有個訪客詢問。其實如果有讀者感到興趣，絕不會不問李浣芳是否嫁給陶玉甫，唯一的一個疑團。李漱芳死後，她母親李秀姐要遵從她的遺志，把浣芳給玉甫作妾，玉甫堅拒，要認她作義女，李秀姐又不肯。陶雲甫自稱有辦法解決，還沒來得及說出來，被打斷了，就此沒有下文了。

陶雲甫唯一關心的是他弟弟，而且他絕沒有逼着弟弟納妾之理，不過他也覺得浣芳可愛（見第四十一回——原第四十三回），要防玉甫將來會懊悔，也許建議把浣芳交給雲甫自己的太太，等她大一點再說，還是可以由玉甫遣嫁。但是玉甫會堅持名分未定，不能讓她進門。僵持拖延下去，時間於李秀姐不利，因爲浣芳不宜在妓院裏待下去。一明白了玉甫是眞不要她，也就只好讓他收作義女了。

浣芳雖然天眞爛漫，對玉甫不是完全沒有洛麗塔心理。納博柯夫名著小說『洛麗塔』——拍成影片由詹姆斯梅遜主演——寫一個中年男子與一個十二歲的女孩互相引誘成姦。在心理學上，小女孩會不自覺地誘惑自己父親。浣芳不但不像洛麗塔早熟，而且晚熟到近於低能兒童，所以她初戀的激情更百無禁忌，而仍舊是無邪的。如果嫁了玉甫，兩人之間過去的情事就彷彿給追加了一層曖昧的色彩。玉甫也許就爲這緣故拒絕，也是向潄芳的亡靈自明心跡，一方面也對自己撇清——他不是鐵石人，不會完全無動於衷。

作者不願設法代爲撮合，大快人心，但是再寫下去又都是反高潮，認義女更大殺風景。及早剪斷，不了了之，不失爲一個聰明的辦法。

劉半農惋惜此書沒多寫點下等妓院，而掉轉筆鋒寫官場淸客。我想這是劉先生自己不寫小說，不知道寫小說有時候只要剪裁得當，予人的印象彷彿對題材非常熟悉；其實韓子雲對下級妓院恐怕知道的盡於此矣。從這書上我們也知道低級妓院有性病與被流氓毆打的危險，妓女本身也帶流氣，碰到殷實點的客人就會敲詐。大概只能偶一觀光，不能常去。文藝沒什麼不應當寫哪一個階級。而且此處結構上也有必要，因爲趙二寶跟着史三公子住進一笠園，過了一陣子神仙眷屬的日子，才又一跤栽下來，爬得高跌得重。如果光是在他公館裏兩人鎮日相對，她也還是不能完全進入他的世界，比較單調，容易膩煩。

寫一笠園，至少讓我們看到家妓制度的珍貴的一瞥。『紅樓夢』裏學戲的女孩子是特殊情形，專爲供奉歸寧的皇妃的。一般大概像此書的琪官瑤官的境遇。瑤官虛歲十四，才十三歲，被主人收用已經有些時了。書中喜歡幼女的只有齊韻叟一人——別人喜歡跟她們鬧著玩。尹癡鴛倒是愛林翠芬，但是也寧可用張秀英洩慾。而齊韻叟也並不是因爲年老體衰，應付不了成熟的女性——他的新寵是嫁人復出的蘇冠香。

琪官瑤官與孫素蘭夜談，瑤官說孫素蘭跟華鐵眉要好，一定是嫁他了。孫素蘭笑她說得容易，取笑她們倆也嫁齊大人。瑤官說她『說說就說到歪裏去』，也就是說老人姦淫幼女，不能相提並論。書中韻叟與琪官的場面寫得十分蘊藉，只借口沒遮攔的瑤官口中點一筆。

齊韻叟帶着琪官瑤官在竹林中撞見小贊，似乎在向另一人求告，沒看清楚是誰，這人已經跑了。事後盤問她們，琪官示意瑤官不要說，只告訴韻叟『不是我們花園裏的人，』想必是說不是齊府的人，不致玷辱門風。這件事從此沒有下文了，直到『跋』列舉諸人下場，有『小贊小青挾貲遠遁』句。原來小贊私會的是蘇冠香的大姐小青。相等於『詩婢』的詩僮小贊，竟拋下學業，與情人私奔捲逃。那次約會被撞破，琪官代爲隱瞞，想必是怕結怨。蘇冠香是小小姨身分，皇親國戚兼新寵，正如楊貴妃的妹妹虢國夫人。琪官雖然不知道冠香向韻叟誣賴她與孫素蘭同性戀，一定也曉得她是冠香的『眼中釘』（見回目）。再揭破醜聞使冠香大失面子，更勢不兩立了。那神秘人物是小青，書中沒有交代，就顯不出琪官的機警與她處境的艱難。

總是因爲書至此已近尾聲，下文沒有機會插入小贇小青的事，只好在跋內點破，就像第十三回『抬轎子周少和碰和』的事也只在回目中點明，回內隻字不提。

但是由跋追補一筆，力道不夠。當時琪官一味息事寧人，不許瑤官說出來，使人不但氣悶而且有點反感。她說與小贇在一起的是外人，倌人帶來的大姐除了小青，還有林素芬林翠芬也帶了大姐來，大概是娘姨大姐各一，兩人合用。像趙二寶就只帶了個娘姨阿虎，替她梳頭，那是不可少的。孫素蘭只帶一個大姐，想必是像衞霞仙處阿巧的兩個同事，少數會梳頭的大姐。

娘姨不大有年輕貌美的。小贇向這人求告，似是向少女求愛或求歡——再不然就是身分較高的人。

書中男僕如張壽匡二都妒忌主人的豔福，從中搗亂，激動得簡直有點心理變態。曾經有人感嘆中國的女僕長年禁慾，其實男僕也不能有家庭生活。固然可以嫖妓；倒從來沒有妄想倌人垂青的，這一點上階級觀念非常嚴。不過小贇不是普通的傭僕，有學問有前途，而且屢次當衆出風頭。平時倌人時刻有娘姨跟着，在一笠園中卻自由自在，如蘇冠香林翠芬都獨自遊蕩。因此有可能性的女子浩如烟海，無從揣測。比較像是孫素蘭的大姐，琪官代瞞是衞護義姊——還是失意的林翠芬移情別戀？這些模糊的疑影削弱了琪官的這一場戲，也是她的最後一場，使這特出的少女整個的畫像也爲之減色。等到看到跋才知道是小青，這才可能琢磨出琪官有她不得已的苦衷，已經遲了一步。

作者的同鄉松江顛公寫他『與某校書最暱，常日匿居其妝閣中』，但是又說他『家境……寒素』。劉半農說：

相傳花也憐儂本是鉅萬家私，完全在堂子裏混去了。這句話大約是確實的，因爲要在堂子裏混，非用錢不可；要混得如此之熟，非有鉅萬家私不可。

也許聰明人不一定要有鉅萬家私，只要肯揮霍，也就充得過去了。他沒活到四十歲，倒已經『家境……寒素』，大概錢不很多，禁不起他花。

作者在『例言』裏說：『全書筆法自謂從「儒林外史」脫化出來，惟穿插藏閃之法則爲從來說部所未有。』其實『紅樓夢』已有，不過不這麼明顯。（參看宋淇著『紅樓夢裏的病症』等文）有些地方他甚至於故意學『紅樓夢』，如琪官瑤官等小女伶住在梨花院落——『紅樓夢』的芳官藕官等住在梨香院。小贊學詩更是套香菱學詩。『海上花』裏一對對的男女中，華鐵眉孫素蘭二人唯一的兩場戲是吵架與或多或少的言歸於好，使人想起賈寶玉林黛玉的屢次爭吵重圓。這兩場比高亞白尹癡鴛二才子的愛情場面都格調高些。

華鐵眉顯然才學不輸高亞白尹癡鴛，但是書中對他不像對高尹的譽揚，是自畫像的謙抑的姿勢。口角後與孫素蘭在一笠園小別重逢，他告訴她送了她一打香檳酒，交給她的大姐帶回去了。不論作者是否知道西方人向女子送花道歉的習俗——往往是一打玫瑰花——此處的香檳酒也是表示歉意的。一送就是一箱，——十二瓶一箱——手面闊綽。孫素蘭問候他的口吻也聽得出他身體不好。作者早故，大概身體不會好。

當時男女僕人已經都是僱傭性質了，只有婢女到本世紀還有。書中只有華鐵眉的『家奴華忠』十分觸目。又一次稱爲『家丁』，此外只有洋廣貨店主殳三的『小家丁奢子』。

明人小說『三言二拍』中都是僕從主姓。婢女稱『養娘』，『娘』作年輕女子解，也就是養女。僮僕想必也算養子了。所以『金瓶梅』中僕人稱主人主婦爲『爹』『娘』，後世又升格爲『爺（爺）』『奶奶』。但是『金瓶梅』中僕人無姓，只有一個善頌善禱的名字如『來旺』，像最普通的狗名『來富』。這可能是因爲『三言二拍』是江南一帶的作品，保留了漢人一向的習俗，『金瓶梅』在北方，較受胡人的影響。遼金元都歧視漢人，當然不要漢人僕役用他們的姓氏。

清康熙時河南人李綠園著『歧路燈』小說，書中譚家僕人名叫王中。乾隆年間的『兒女英雄傳』裏，安家老僕華忠也用自己的姓名。顯然清朝開始讓僕人用本姓。同是歧視漢人，卻比遼金元開明，不給另取寵物似的名字，替他們保存了人的尊嚴。但是直到晚清，這不成文法似乎還沒推廣到南方民間。

年代介於這兩本書之間的『紅樓夢』裏，男僕有的有名無姓，如來旺（旺兒）、來興（興兒），但是絕大多數用自己原來的姓名，如李貴、焦大、林之孝等。來旺與興兒是賈璉夫婦的僕人，來自早稿『風月寶鑑』，賈瑞與二尤等的故事，裏面當然有賈璉鳳姐。此後寫『石頭記』，先也還用古代官名地名，僕名也仍遵古制；屢經改寫，越來越寫實，僕人名字也照本朝制度了。因此男僕名字分早期後期兩派。唯一的例外是鮑二，雖也是賈璉鳳姐的僕人，而且是二尤故事中的人物，卻用本姓。但是這名字是寫作後期有一次添寫賈母的一句雋語：『我哪記得揹着抱着的？』——賈璉鳳姐爲鮑二家的事吵鬧時——才爲了諧音改名鮑二，想必原名來安之類。

『海上花』裏也是混合制。齊韻叟的總管夏餘慶，朱藹人兄弟的僕人張壽，李實夫叔姪的匡二，都用自己原來的姓名。朱家李家都是官宦人家。知縣羅子富的僕人高升不會是眞姓高，『高升』『高發』是官場僕人最普通的『藝名』，可能是職業性跟班，流動性大，是熟人薦來的，不是羅家原有的家人，但是仍舊可以歸入自己有姓的一類。

火災時王蓮生向外國巡警打了兩句洋文，才得通過，顯然是洋務官員。他對詩詞的態度傖俗（第三十三回），想必不是正途出身。他的僕人名叫來安，商人陳小雲的僕人叫長福，都是討吉利的『奴名』，無姓。

洋廣貨店主殳三的『小家丁奢子』，『奢』字是借用字音，原名疑是『捨子』（捨給佛門），『捨』音『奢』，但是吳語音『所』，因此作者沒想到是這個字。孩子八字或是身體不好，掛名入寺爲僧，消災祈福，所以乳名叫捨子，不是善頌善禱的奴名，因此應當有姓——姓殳，像華鐵眉的家丁華忠姓華一樣。

華鐵眉住在喬老四家裏，顯然家不在上海。他與賴公子王蓮生都是世交，該是舊家子弟。殳三是廣東人，上代是廣州大商人，在他手裏賣掉許多珍貴的古玩。『華』『花』二字相通，華鐵眉想必就是花也憐儂了。作者的父親曾任刑部主事，他本人沒中舉，與殳三同是家道中落，一個住在松江，一個寄籍上海，都相當孤立，在當代主流外。那是個過渡時代，江南華南有些守舊的人家，僕人還是『家生子兒』（『紅樓夢』中語），在法律上雖然自由，仍舊終身依附主人，如同美國南方戰爭後解放了的有些黑奴，所以仍舊像明代南方的僕從主姓。

官場僕人都照滿清制度用本姓，但是外圍新進如王蓮生——海禁開後才有洋務官員——還是照民間習俗，不過他與陳小雲大概原籍都在長江以北，中原的外緣，還是過去北方的遺風，給僕人取名來安，長福——如河南就已經滿化了。以至於有三種制度並行的怪現象。

華鐵眉『不喜熱鬧，』酒食『徵逐狎昵皆所不喜』。這是作者自視的形象，聲色場中的一個冷眼人，寡慾而不是無情。也近情理，如果作者體弱多病。

寫華鐵眉特別簡略，用曲筆，因爲不好意思多說。本來此書已經夠簡略的了。『金瓶梅』『紅樓夢』一脈相傳，儘管長江大河滔滔汩汩，而能放能收，含蓄的地方非常含蓄，以致引起後世許多誤解與爭論。『海上花』承繼了這傳統而走極端，是否太隱晦了？

沒有人嫌李商隱的詩或是英格瑪．柏格曼的影片太晦。不過是風氣時尚的問題。胡適認爲

『海上花』出得太早了，當時沒人把小說當文學看。我倒覺得它可惜晚了一百年。一七九一年『紅樓夢』付印，一百零一年後『海上花』開始分期出版。『紅樓夢』沒寫完還不要緊，被人續補了四十回，又倒過來改前文，使鳳姐襲人尤三姐都變了質，人物失去多面複雜性。鳳姐雖然貪酷，並沒有不貞。襲人雖然失節再嫁，『初試雲雨情』是被寶玉强迫的，並沒有半推半就。尤三姐放蕩的過去被删掉了，殉情的女人必須是純潔的。

原著八十回中沒有一件大事，除了晴雯之死。抄檢大觀園後，寶玉就快要搬出園去，但是那也不過是回到第二十三回入園前的生活，就只少了個晴雯。迎春是衆姊妹中比較最不聰明可愛的一個，因此她的婚姻與死亡的震撼性不大。大事都在後四十回內。原著可以說沒有輪廓，即有也是隱隱的，經過近代的考據才明確起來。一向讀者看來，是後四十回予以輪廓，前八十回只提供了細密眞切的生活質地。

前幾年有報刊舉行過一次民意測驗，對『紅樓夢』裏印象最深的十件事，除了黛玉葬花與鳳姐的兩段，其他七項都是續書內的！如果說這種民意測驗不大靠得住，光從常見的關於『紅樓夢』的文字上——有些大概是中文系大學生的論文，拿去發表的——也看得出一般較感興趣的不外鳳姐的淫行與臨終寃鬼索命；妙玉走火入魔；二尤——是改良尤三姐；黛玉歸天與『掉包』同時進行，黛玉向紫鵑宣稱『我的身子是淸白的，』就像連紫鵑都疑心她與寶玉有染。這幾折單薄的傳奇劇，因爲抄本殘缺，經高鶚整理添寫過，（詳見拙著『紅樓夢魘』）補綴得也相當草率，像棚戶利用大廈的一面牆。當時的讀者逕視爲原著，也是因爲實在渴望八十回抄本還有下文。同一願望也使現代學者樂於接受續書至少部份來自遺稿之說。一般讀者是已經失去興趣了，但是每逢有人指出續書的種種毛病，大家太熟悉內容，早已視而不見，就彷彿這些人無聊到對人家的老妻評頭品足，令人不耐。

拋開『紅樓夢』的好處不談，它是第一部以愛情爲主題的長篇小說，而我們是一個愛情荒的國家。它空前絕後的成功不會完全與這無關。自從十八世紀末印行以來，它在中國的地位大概全世界沒有任何小說可比——在中國倒有『三國演義』，不過『三國』也許口傳比讀者更多，因此對宗教的影響大於文字上的。

百廿回『紅樓夢』對小說的影響大到無法估計。等到十九世紀末『海上花』出版的時候，閱讀趣味早已形成了，唯一的標準是傳奇化的情節，寫實的細節。迄今就連大陸的傷痕文學也都還是這樣，比大陸外更明顯，因爲多年封閉隔絕，西方的影響消失了。當然，由於壓制迫害，作家第一要有膽氣，有犧牲精神，寫實方面就不能苛求了。只要看上去是在這一類的單位待過，不是完全閉門造車就是了。但也還是有無比珍貴的材料，不可磨滅的片段印象，如收工後一個女孩單獨蹲在黃昏的曠野裏繼續操作，周圍一圈大山的黑影。但是整個的看來，令人驚異的是一旦擺脫了外來的影響與中共一部份的禁條，露出的本來面目這樣稚嫩，彷彿我們沒有過去，至少過去沒有小說。

中國文化古老而且有連續性，沒中斷過，所以滲透得特別深遠，連見聞最不廣的中國人也都不太天眞。獨有小說的薪傳中斷過不止一次。所以這方面我們不是文如其人的。中國人不但談戀愛『含情脈脈』，就連親情友情也都有約制。『爸爸，我愛你』，『孩子，我也愛你』只能是譯文。惟有在小說裏我們呼天搶地，耳提面命誨人不倦。而且像我七八歲的時候看電影，看見一個人物出場就急着問：『是好人壞人？』

上世紀末葉久已是這樣了。微妙的平淡無奇的『海上花』自然使人嘴裏淡出鳥來。它第二次出現，正當五四運動進入高潮。認眞愛好文藝的人拿它跟西方名著一比，南轅北轍，『海上花』把傳統發展到極端，比任何古典小說都更不像西方長篇小說——更散漫，更簡略，只有個姓名的人物更多。而通俗小說讀者看慣了『九尾龜』與後來無數的連載妓院小說，覺得『海上花』掛羊頭賣狗肉，也有受騙的感覺。因此高不成低不就。當然，許多人第一先看不懂吳語對白。

當時的新文藝，小說另起爐灶，已經是它歷史上的第二次中斷了。第一次是發展到『紅樓夢』是個高峯，而高峯成了斷崖。

但是一百年後倒居然又出了個『海上花』。『海上花』兩次悄悄的自生自滅之後，有點什麼東西死了。

雖然不能全怪吳語對白，我還是把它譯成國語。這是第三次出版。就怕此書的故事還沒完，還缺一回，回目是：

張愛玲五詳『紅樓夢』
看官們三棄『海上花』

『海上花』的幾個問題

【英譯本序】

『海上花』第一回開始，有一段自序，下接楔子。這『回內序』描寫此書揭發商埠上海的妓女的狡詐，而毫不穢褻。在楔子中，作者花也憐儂夢見自己在海上行走，海面上鋪滿了花朵——很簡單的譬喻，海上是『上海』二字顛倒，花是通用的妓女的代名詞。在他的夢裏，耐寒的梅花，傲霜的菊花，耐寂寞的空谷蘭，出汚泥而不染的蓮花，反倒不如較低賤的品種隨波逐流，禁不起風浪顛簸，害蟲咬嚙，不久就沉淪淹沒了，使他傷感得自己也失足落水，而是從高處跌下來，跌到上海租界華界交界的陸家石橋上。他醒了過來，發現自己在橋上——而不是睡在床上，可見他還在做夢——下橋撞到一個急急忙忙衝上來的青年，轉入正文。

楔子分明是同情有些妓女，與自序的黑幕小說觀點有點出入。那一段前言當是傳統中國小說例有的勸善懲淫的聲明，如果題材涉及情慾。這開場白的體裁亦步亦趨仿效『紅樓夢』的自序加楔子，而沒有它的韻致與新意。『海上花』這一節與其他部分風格迥異，會使外國讀者感到厭煩，還沒開始就看不下去了；唯一的功用是引導漢學研究者誤入歧途，去尋找暗含的神話或哲學。這部不大有人知道的傑作一八九四年出版，一九二〇年中葉又被胡適與其他的五四運動健將發掘出來，而又第三次絕版。我不免關心它在海外是否受歡迎，終於斗膽刪去開首幾頁。

跋也爲了同樣的原因略去了，作者最不擅長描寫風景。寫景總是沿用套語，而在此處長篇累牘形容登山樂趣，不必攀登巔頂，一覽無遺，藉以解釋爲什麼他許多次要的情節都沒有結局，雖然不難推斷。

跋內算是有個訪客詢問沈小紅黃翠鳳的下場。他說她們的故事已經完了。

若夫姚馬之始合終離，朱林之始離終合，洪周馬衞之始終不離不合，以至吳雪香之招夫教子，蔣月琴之創業成家，諸金花之淫賤下流，文君玉之寒酸苦命，小贊小青之挾貲遠遁，潘三匡二之衣錦榮歸；黃金鳳之孀居，不若黃珠鳳儼然命婦；周雙玉之貴媵，不若周雙寶兒女成行；金巧珍背夫捲逃，而金愛珍則戀戀不去；陸秀寶夫死改嫁，而陸秀林則從一而終：屈指悉數，不勝其勞。請俟初續告成，發印呈教。

許下另作一部續書，所透露的內容，値得注意的是能幫助我們了解此書之處。第四十七回慶祝吳雪香有孕，葛仲英顯然承認她懷著他的孩子。但是結果她在續書中另嫁別人——想必是社會地位較低的貧困的男子，否則不會入贅。但是即使葛仲英厭倦了她，以他的富貴，也絕不肯讓自己的子女流落在外。若是替孩子安排另一個正當的家庭，而仍舊由生母撫養，遺嫁失寵的情婦是西方的習俗，中國沒有的。如果他突然得病早歿——似乎是這情形——他的家族親屬也一定會跟她談判，領養這嬰兒。她不肯放棄她的兒子，而且為了他招贅從良，好讓他出身清白，可見她的為人。

與齊大人的僕人小贊私會被撞破的神祕人物，顯然是齊府如夫人的胞妹蘇冠香的大姐小青，既然小贊小青在續書中私奔。擅演歌劇的女奴琪官正與冠香爭寵，她看清楚了是小青，而不肯告訴主人，只說不是我們的人，表示不敗壞門風，不必追究。代為隱瞞，顧到情敵的顏面，似乎太是個聖女。但當然是因為勢力不敵，不敢結怨。心計之深，直到跋內才揭露。

周雙寶嫁給南貨店小開倪客人，辦喜事應有盡有，『待以正室之禮』，當然不是正室了——還是說雖然娶的是妓女，仍應視為正室？

當時通行早婚，他雖然父親還在世，而且仍舊掌管店務，書中並沒提起過他年輕。當然，也許他是死了太太。但是我們知道續書中周雙玉嫁了顯貴作妾，就可以斷定倪客人也使君有婦。雙玉敲詐朱家，本來動機一半是氣不伏雙寶稱心如意嫁了人。問題有點混淆不清：因為朱淑人無法履行諾言娶雙玉為妻，她就逼他與她情死。雖然我們後來發現純是為了勒索，還是有她不甘作妾的印象。敲詐到一萬銀元除贖身外，剩下的作嫁粧，足夠她嫁任何人為妻，如果不太高攀的話。而仍舊作妾，可見不是爭名分，不過是要馬上嫁一個她自己看中的，又嫁得十分風光，出這口氣。

胡適指出書中詩詞與一篇穢褻的文言故事都是刻意穿插進去的。為了炫示作者在別方面的辭章之美。那篇小說中的小說幾乎全文都是雙關引用古文成語，如『血流漂杵』，原文指戰場傷亡人數之多。不幸別的雙關語不像這句翻譯得出。那些四書酒令也同樣引經據典，而往往巧妙地別有所指。兩首詩詞的好處也只在用典圓熟自然，譯文勢必累贅，效果恰正相反。這幾處是我唯一的刪節。為了保持節奏，不讓文氣中斷，刪後再給補綴起來，希望看不出痕跡。

我久已熟悉這部書，但是直到譯它的時候，才發現羅子富黃翠鳳定情之夕，她是從另一個男子的床上起來相就的。在妓院裏本來不算什麼，但是仍舊有震撼力，由於長三堂子的濃厚的家庭氣氛——么二的『媽』就不出現，只稱『本家』，可男可女——尤其是經過翠鳳那一番做作之後。此外還有幾處像這樣極度微妙的例子，我加的註解較近批註，甘冒介入之譏。

小兒女

《人物》

王鴻琛——四十六歲

王景慧——鴻琛之女，二十二歲

王景方——鴻琛之子，八歲

王景誠——鴻琛之子，七歲

孫　川——二十三歲

李秋懷——三十六歲

小　鳳——鄰女，六歲

鳳之後母

孫川母

警員甲
警員乙
警員丙
警員丁
鄉人甲
鄉人乙
張姓職員
看護
貧兒

第一場

景：馬路
時：日
人：男女搭客約三十人、司機、售票員、司閘人
（一輛滿載搭客的公共汽車，向前直駛。）

第二場

景：公共汽車上

時：日

人：川、慧、售票員、司閘人、司機、男女搭客約三十人

（擁擠的公共汽車上，一個少女打一個青年一記耳光。）

青年：（撫頰）幹嘛打人？

少女：你自己明白。

青年：（茫然，注視女。）咦？你不是王景慧？——我是孫川。

（慧向他看了看，並不招呼，向車尾擠過去。）

（但川手中拎著的螃蟹鉗著慧衣，牽著川也往前擠。）

（別的乘客紛紛避讓他的張牙舞爪的一籃蟹，憎怖地嘖嘖有聲。）

（一個母親急忙擋住她的孩子）

川：（窘，咳嗽一聲。）嗳，景慧——景慧。

（慧不理他，只管向前擠，川只得跟隨。車子一歪，二人連一籃蟹都倒在別人身上，一

個女人驚叫，衆人紛紛發出抗議聲：『嗳……嗳……』秩序大亂。）

慧：孫川，你再釘著我不放，我叫警察了。

川：我沒跟著你。你瞧——（指她背後衣服）

慧：（沒看見）就算我們是老同學，幾年不見，沒想到你變成這麼個人。（怒沖沖再往前擠，引起乘客們更大的反感，川只得拉住她，她甩脫他。）

川：嗳，你瞧，螃蟹夾著你的衣裳。

慧：（回身視，方恍然，帶笑透了口氣。）是牠夾了我一下，我還當有人擰我。

川：（撫頰苦笑）怪不得你打我！

慧：對不起。

（川與慧因方才的誤會都有點窘）

（車繼續行駛，有人往外擠，有人搶到座位，有人彎腰看窗外點頭。）

慧：我聽說你進了天南大學。

川：去年畢業了，你呢？

慧：我沒進大學。

川：在哪兒做事？

慧：（有點不好意思）在家裏。

川：（呆了一呆，掩飾失望，微笑低聲。）你結婚了。

慧：沒有。（頓了頓，覺得需要解釋。）自從我母親去世了，家裏沒人照應，所以我在家裏管家。

川：哦。

慧：我就快到了。

（川想替她剝開蟹鉗）

慧：（阻止）當心夾著手。

川：那我跟你下去吧。

第三場

景：車站、街道

時：日

人：川、慧、司機、售票員、司閘人、男女搭客約三十人、路人

（車抵車站停）

（慧下車，蟹鉗依然夾住慧衣，川拎著一籃蟹，隨慧下車。）

（車行）

川：（扯蟹無效）我怕拉破你的衣裳。
慧：到我家裡去，拿水澆牠，或許放鬆了。
（慧行，川隨。）
川：難得的，我母親叫我買幾斤螃蟹回來，就闖禍。
（路人注視川、慧。）
（川窘，兩人轉入街道。）
（川狼狽地遮掩手中蟹，路人更注視。）

第四場

景：王家
時：日
人：川、慧、誠、方、鴻、小鳳、鳳後母
（川自水盆中撥水澆蟹，慧濕衣。）
川：眞對不起！
慧：沒關係。

（蟹鬆鉗。川將整籃放水盆中，慧拭地板。）

慧：你坐。我去換件衣裳就來。（入內室）

二孩：（畫面外）姊姊！姊姊！

（二孩背著書包放學回來，在門外奔入見川，一怔。川向他們笑，他們別過頭去，見蟹。）

方：姊姊，我們今天吃螃蟹！

慧：（畫面外）那是孫先生的。

川：（向二孩）明天我再買來，請你們吃螃蟹啊。

慧：（畫面外）不，你別客氣。

川：不費事，這就是在我辦公室旁邊買的。

（慧易衣出）

慧：你在哪兒做事？

川：華新藥廠。

（慧倒茶給他）

川：（顧牆上一酷似慧的中年女人照片）這是——

方：（正與弟弟用鉛筆逗蟹，抬起頭來。）這是媽媽。

慧：別鬧，夾疼了不許哭。

誠：我不哭。誰像小鳳，成天哭。

方：姊姊，小鳳又挨打，在大門口哭。

慧：你們去陪她玩，安慰安慰她。

（二孩出）

慧：（低聲）那是間邊兒人家的孩子，後母虐待她，眞可憐。

二孩：（畫面外在門外高呼）爸爸回來了！爸爸回來了！（牽父入）

慧：爸爸，這是我的老同學孫川。

川：老伯。

鴻：請坐！請坐！

慧：我父親在德育中學教書。

川：哦。

（隔壁嬰啼聲）

鳳後母：小鳳！小鳳！又死到哪兒去了，還不來抱弟弟！

慧：那麼點大的孩子，就要她帶孩子。（指誠）比他還小呢。

鴻：我們眞看不過去，老想搬家。

川：我得走了，晚上還得上課。

慧：你還在唸書？

川：在研究院唸夜班。
鴻：學什麼？
川：細菌學。
慧：你眞用功。
川：明天晚上如果你們沒事，我帶螃蟹來。
慧：你來吃飯得了，別買東西。
川：吃螃蟹。（提起蟹）老伯，我走了。（出）
（二孩拍手跳躍送蟹）

第五場

景：王家
時：夜
人：川、慧、方、誠、鴻
（一盆燒熟的蟹拉開）
（慧端正一下桌上的筷碟回頭向房內叫）

慧：爸爸，快出來吃螃蟹。

鴻：（自內室出）孫川呢？

慧：他跟弟弟在門外玩兒。

二孩：（畫面外）姊姊，姊姊。

（方、誠拉川由外入。）

方：（興沖沖）姊姊，孫先生答應明天下午帶我們上荔園去玩，姊姊你也去。

慧：別胡鬧，孫先生哪兒有空。

川：明天星期六，下午我正好沒事。

鴻：（向慧）難得的，就讓他們去吧。

慧：（一笑向二孩）快去洗洗手，吃螃蟹。（拉二人走向浴間）

鴻：（向川讓座）讓你破費。

川：哪裏，小意思。

（川、鴻入座）

（二孩由浴間奔出，慧持手巾追出爲二小孩抹手。）

第六場

景：教員休息室

時：日

人：秋、鴻、教員四人、學生約十人

（下課鐘響）

（門外，一羣學生走過，女教員李秋懷持課本同各教員入。）

（秋來至鴻對面坐下）

（鴻在改卷，見秋來，抬頭微笑招呼。）

秋：你怎麼還沒回家？

鴻：等你。

秋：（奇）等我？

鴻：想約你一起去看場電影。

秋：今天？

（鴻點點頭，爲秋倒茶。）

秋：你不是每個星期六都要陪你的三個兒女一起玩兒的？

鴻：今天例外，他們有人請客去荔園玩兒了。

第七場

景：荔園（內景）
時：日
人：川、慧、方、誠、遊樂場職員約廿人、遊客約五十人

（擲球攤位前，川協助二孩擲球，慧在一旁觀看。）
（氣槍攤位前，川教慧開槍，二小孩硬從兩人中間擠進分開兩人。）
（川同慧及二孩溜冰，川教慧，不慎，二人同倒地。）
（川扶起慧）
（二孩吃著雪糕在前走，川、慧在後，二人停步欲有所言。）
（二孩奔入拉川出）
（二孩拉川買氣球）
（二孩互擲氣球爲戲，搖至一長椅處，川慧並坐。）
（川靠近慧欲有所言，一氣球在二人中間插入，川回頭一望是方、誠二人在川、慧二人中間嬉戲。）

（川挽慧至另一邊坐下）

（川坐近慧正欲開口，又一氣球插入隔開二人，原來是誠。）

（川、慧不禁相對一笑。）

第八場

景：秋家

時：日

人：秋、鴻

（收音機播放古典音樂）

（面對著滿佈爬藤的小陽台，秋與鴻靜靜地聽著。）

（小几上放著茶具、蛋糕，秋替鴻倒茶、加奶放糖，切一塊蛋糕在鴻面前的小碟裡。）

（鴻呷一口茶）

鴻：（讚嘆地）自從景慧的媽死了以後，我已經很久很久沒有享過這種清福啦。

秋：所以我不贊成到外面去玩兒，這樣不是更好嗎？

鴻：（點點頭）這幾年來我幸虧有你這麼個朋友！

秋：我要是沒有你這朋友，我也很寂寞。
鴻：秋懷，假使我再年輕幾歲，我一定希望跟你永遠在一起。
秋：（沉默片刻）一個人的年紀跟心境很有關係。
（鴻點點頭）
（二人相對無言）

第九場

景：電影院
時：夜
人：川、慧、方、誠、觀衆約百人
（慧坐在川身邊，二小孩坐在慧身邊，四人聚精會神地注視銀幕。）
（銀幕上正放映一恐怖片）
（二小孩看得出神）
（川與慧的目光已不在銀幕，默默對視。）
（川的手握住慧的手）

（慧低頭，突然全院觀衆一聲驚叫，坐在慧身旁的方緊抓慧臂，川、慧看銀幕。）
（銀幕上一個恐怖鏡頭）
（方叫『怕』，慧摟方，誠也叫『怕』，慧只得換座坐在二孩中間，兩手互摟二孩。）
（川獨坐一旁，頗尷尬。）

第十場

景：王家門外
時：夜
人：川、慧、方、誠、小鳳、鳳後母

（川送慧及二孩至門外）
（鄰居傳來鳳後母打小鳳的聲音）
（四人注視）
（見小鳳哭著逃出，鳳後母追出捉小鳳回入。）
（二小孩作欲往搭救狀，爲慧拉住。）
川：我回去了！

慧：進來坐會兒再走吧。

（川考慮間，二孩强拉川入。）

第十一場

景：王家

時：夜

人：川、慧、鴻、方、誠

（二孩强拉川入，慧倒茶給川。）

（二孩吵著要川講故事）

慧：（對二孩）別胡鬧，你們該睡了。

（二孩正待不依，慧已拉二孩走向臥室。）

（客廳中剩下川一人，無聊地四望。）

（房中——慧爲二孩換睡衣，二孩頑皮。）

（川來至房門口觀看）

（慧好容易將二孩服侍睡在床上，回頭見川。）

（慧來至川前，搖搖頭，表示二孩頑皮。）

（川正欲有所言——二孩起爭吵。）

（慧急上前阻止然後熄燈）

（慧關上房門同川走向客廳）

（二孩開門偷看）

（廳中慧透口氣與川並坐——門鈴響。）

（慧開門，鴻入。）

川：（急起身）老伯。

鴻：請坐，你們剛回來？

慧：回來一會兒咯，弟弟們都睡了。

（在偷看的二孩急關門）

鴻：你們上哪兒去玩兒了？

慧：玩兒了很多地方，孫先生又請吃晚飯，又請看電影。

鴻：又讓孫先生花錢。

川：那裏，那裏！

鴻：孫先生什麼時候有空，我們一起上郊外去野餐好嗎？

川：好呀！

鴻：我讓景慧跟你聯絡。

第十二場

景：郊外

時：日

人：川、慧、鴻、方、誠

（鴻與子女偕川郊遊。二孩拖川向水塘走去。）

二孩：（同聲）孫大哥——孫大哥——

方：有一天我們在這兒釣到一條大魚，這麼大——（比劃）

誠：（比得更大）這麼大——

方：吃了三天。

誠：四天。

鴻：他們母親在世的時候我們常常到這兒來玩！

（慧打開攜來箱、籃，誠發現氣球癟了。）

誠：姊姊給我吹！

（慧吹不脹）

川：我來！（將吹，見氣球上有唇膏印，突然想起這是間接的接觸慧唇，看了看慧。）

（慧覺，羞。川鄭重的把嘴唇湊上去，吹氣球，紮緊，誠取去玩。慧掩飾羞態，掀開帶來的書，見壓著一朵乾枯的花。）

慧：這還是媽媽在這兒採的花。

川：這是什麼花？

慧：不知道，就長在那邊。（指）

川：什麼時候開？

慧：差不多這時候！

川：去瞧瞧開了沒有？

（川、慧同去，方、誠將跟去，被鴻喚住。）

鴻：景方、景誠，來，我們來釣魚。（取釣竿代裝餌）

慧：奇怪，我們在學校裏時候並不熟，現在倒天天見面。

川：那時候還小，沒有勇氣，老想跟你說話，可是沒機會。

慧：其實那時候我也……

川：（緊張）你也怎麼？

慧：（終於說不出口）我也……沒機會跟你說話。

川：景慧。（吻她，她推拒，但終於吻。）

（父垂釣，方揮舞童軍繩如西部片中『拉索』，誠裝牛爬行，爬到父身邊，父伸一臂摟住他。）

鴻：來，陪陪爸爸。

（方的拉索套到二人頭上，誠笑著逃走，方揮動拉索喊叫著追入林中。）

（鴻繼續垂釣，遙聞二兒呼喊聲。片刻，鴻無聊地取地上書置膝——翻閱，翻到亡妻壓書中花朵，望著發怔。）

（誠追方，在川、慧二人身後經過，川、慧注視。）

（畫面外一陣驚叫，川、慧急奔前。）

（原來方不小心失足跌下水中）

（川急下水拉方起）

（鴻趕來一看，失笑。）

第十三場

景：教員休甜室

時：日

人：秋、鴻、教員、學生

（鴻改卷子，秋入，鴻褪下眼鏡，整理一疊練習簿。）

鴻：這一向覺得我眞老了，女兒都快結婚了。

秋：（坐）是嗎？聽你說，彷彿還是個小孩。

鴻：其實也還小，不過現在有了男朋友，看那神氣大概不久就要結婚了。

秋：你沒問他們？

鴻：他們不提這話我也不提。

秋：她結了婚你就要更寂寞了。

鴻：可不是，還有那兩個孩子沒人照應。

秋：女兒大了總有這一天的。

鴻：可就是沒想到這麼快。（取茶壺倒茶敬秋）

秋：不喝了，我得走了。

鴻：一塊兒走。（一同站起身）

第十四場

景：街道
時：日
人：秋、鴻、路人
（鴻、秋在夕陽中偕行，沉默地走著。）
（一段路之後——二人轉向王家門外。）

第十五場

景：王家門外
時：日
人：秋、鴻、方、誠、小鳳、小鳳後母
鴻：到我家裏坐一會。
（秋、鴻行近王家）
秋：不坐了，我回去了。
鴻：我送你回去。

秋：不，我想一個人走回去。

鴻：（沉默片刻）好，那我不送你了。

（路邊玩耍著的方、誠奔來。）

方誠：爸爸！爸爸！

鴻：這是我的兩個孩子。

秋：眞可愛！

鴻：叫李老師！

（方、誠忸怩不語。）

秋：你們兩人誰大？

誠：哥哥，別告訴她！

（鳳在街邊望著他們，鳳後母出，奪鳳手中餅。）

鳳後母：小鳳，這是誰給你的？

（鳳指方、誠）

秋：（笑向鴻）明兒見。（去）

鳳後母：死丫頭，到處跟人家討東西吃，就像家裏不給你吃飽似的。（擲餅於地，鑿鳳頭上一下。）

（鴻忙牽方、誠入。）

方：爸爸，她肚子餓，我分給她吃，還不讓她吃。

（鴻硬拉他進去）

方：（畫面外）爸爸——爸爸——（聲漸遠）

第十六場

景：王家廚房，客室

時：日

人：慧、鴻、小鳳、鳳後母

（慧在廚房做菜，鳳後母牽鳳來。）

鳳後母：王小姐，以後別給她東西吃，就是這賤脾氣，好好的家裏有飯不吃，偏出去討飯。

慧：沒給她吃什麼呀。

鳳後母：剛才那是你爸爸的女朋友？

慧：（笑）我爸爸的女朋友？

鳳後母：你沒見過？剛才在門口沒進來。

慧：（驚訝）哦？

鳳後母：本來你爸爸早該續絃了，這麼些年了。

慧：我爸爸不想結婚嘿。

鳳後母：你等着瞧吧！這就快了，該喝他的喜酒嘍！（將去又回身厲聲喝鳳）還不出來？又想討飯吃？

（鳳隨後母出）

（慧怔了一會，蓋上鍋蓋走入客室。鴻看報。）

慧：（頓了頓）爸爸，你剛才跟誰一塊兒回來？

鴻：（自報紙後面）嗯？——一個同事。

慧：哦。誰呀？

鴻：李小姐。（聽慧半天沒聲音，放下報，見慧立母照片下怔怔的望着他。鴻不安，微嗽，將報紙重摺了一下，再遮住臉。）

第十七場

景：王家（客室、後院）

時：日

人：川、慧、小鳳、鳳後母、方、誠、鴻

（慧代方剪髮，川與誠旁觀，鳳吭指立門口。）

（遙聞鄰宅無線電奏『小兒女』曲，慧跟著哼唱，無線電忽改旋到越劇，川、慧失望地直視。慧噴的一聲。）

川：你再唱下去。

慧：底下不記得了。（再唱最初兩句）眞喜歡這調子。

（慧剪完髮，爲方卸去毛巾，拍打身上。）

慧：（在空中霍霍磨動剪刀，向川。）來來來！輪到你了。

川：不敢領教。

方：（聳肩縮背摸頸項）姊姊！癢！

（川代他掀衣領怕掉短髮）

慧：（向鳳）來，給你也剪剪，（拉鳳坐，代梳劉海）瞧，頭髮那麼長，眼睛都睁不開了。

（取碗倒扣在鳳頭上，照碗邊緣剪。）別動，啊！

（川與方隔著飯桌打乒乓，誠代拾球。）

慧：（剪到劉海）閉上眼睛。

（鳳閉目。鳳後母入。）

鳳後母：小鳳！蛋糕又是你偷吃啦？

（鳳震恐，碗落地跌成數片。鳳後母拾碎片示鳳。）

鳳後母：瞧！（打鳳）

（鳳哭）

方：是我們的碗，關你什麼事？（打鳳後母，被川拉開。）

慧：（拉開鳳）劉太太，是你嚇唬了她，幸虧光是砸了碗，要是剪刀戳到了眼睛裏，多危險。

鳳後母：（嘟囔著）嚇唬了她，說得她那麼膽兒小，偷起東西來膽子大著呢。（向鳳）走！

（鳳跟後母出）

川：（搖頭）這後母待孩子這樣。幸虧你們父親不想再結婚。

（慧聞言刺心，望了望弟弟們，持帚掃地上髮與碎碗。）

方：非打她不可！

慧：別胡鬧。

（方出，張了張，招手與誠出，同躡手躡腳走到通後院的門口。）

（後院——鳳後母正晾衣。方自袋中取出彈弓與一粒豆子，瞄準鳳後母。）

（恰值鳳後母回顧，方將硬豆子拋入口中，咯蹦咯蹦嚼吃。鳳後母懷疑地看著他。他夷然又拋一粒豆入口。鳳後母別過頭去晾衣。）

（客室——）

慧：（低聲向川）你不知道，爸爸跟一個女同事挺好的，也許會結婚。

川：哦？你見過沒有？

慧：沒有。

川：不知道脾氣怎麼樣？

慧：脾氣好又怎麼著，這一位剛來的時候也挺好的，自己生了孩子就變了，越來越討厭小鳳。

川：（憂慮地嘖的一聲）嗳。你兩個弟弟還小，你倒不要緊，反正我們就要結婚了。

慧：人家跟你說正經話。

川：結婚不是正經話？（湊近低聲）唔？（正要吻她，外面鳳後母大嚷起來。）

鳳後母：你這小鬼，你敢打人哪？好，好，我找你爸爸說話！

（後院——鳳後母揉著臉追打方。）

鳳後母：小傢伙，打起人來哪！

（誠跟在後面揪打她，三人團團互逐。）

鳳後母：兩個都不是好東西，小鳳都是讓你們教壞了。這都是從小沒娘，讓你爸爸你姊姊慣得你們這樣。好在你爸爸就要娶新媽媽了。

方：什麼新媽媽！

鳳後母：嗳，等娶了後娘來，得好好的管教管教你們。

方：我們才不要什麼後娘！

鳳後母：嗳，等娶了後娘來，看你們還淘氣不淘氣。

（方逃入戶內，誠跟入，川正出門離去。二孩入室。）

慧：又鬧什麼？叫你們別去惹她。

方：姊姊，她說什麼娶後娘，娶新媽媽。

慧：別聽她瞎說。

方：（沉默片刻）爸爸要娶新媽媽了？

慧：沒有的事。

方：那她幹嘛那麼說？

慧：還不就是那天看見爸爸跟一個女同事一塊兒走，就造謠言。

（鴻入）

慧

方：（先後呼）爸爸。

誠

慧：（把父親常坐的一張椅子上一些東西挪開，置報於手邊。）飯一會兒就得。

鴻：景慧，下禮拜六多做兩樣菜，我們請李小姐吃飯。

慧：李小姐？

鴻：一個同事。我常跟她說起你，她也願意見見你。

（姊弟互視）

方：爸爸！我們不要新媽媽。

誠：不要新媽媽！

鴻：嗯？（恍惚地，帶笑。）什麼新媽媽？

慧：別胡說，你們下去玩去。

方：我們不要她來吃飯！

誠：不要她來吃飯！

（鴻窘）

慧：（低聲喝）去呃！（推他們出）

鴻：他們這是怎麼了？

慧：他們剛才又爲了小鳳跟小鳳的後母鬧，所以受了點刺激！

鴻：（蹙額）那女人眞是——對孩子們的影響不大好。

（慧收拾飯桌，擺碗筷，鴻坐，看報。）

慧：孫川剛來過！

鴻：哦。

慧：他給他姊姊代買好些東西，託我給他買，所以我這兩個禮拜特別忙，弟弟們也得預備大考，還是過兩天再請客吧！

鴻：好，過一向再說。請個同事便飯，也不是什麼要緊的事。

（慧去。鴻一團高興化爲冰水，向空中發怔。）

第十八場

景：士多

時：日

人：鴻、夥計、顧客

（鴻在士多打電話，夥計運一箱貨物掠過他頭邊。）

鴻：是秋懷嗎？我打了好幾個電話給你，你不在家。……（躲讓一女顧客，她指點架上聽頭，夥計代取，她嫌牌子不好。）我知道，你臨時有事出去，又沒法通知我……我不用家裏電話，實在不方便。自從放了暑假——

（女顧客抽出一聽，許多聽頭乒乒乓乓跌下來，鴻躲。）

鴻：——可我跟你解釋過了，暫時不能不保守秘密。……

第十九場

景：秋家
時：日
人：秋

（秋家，秋在打電話。）

秋：（笑）我有個奇怪的感覺，彷彿跟一個有太太的男人來往……你不用說了，我完全明白……好，見面談吧……好，你先上這兒來。

第二十場

景：墳場
時：日
人：鴻、秋

（鴻伴秋立亡妻墳前，秋將花束置墳頭。）

鴻：（指著墳旁之盆花對秋說）這是景誠跟景方兩個孩子，自己把零用錢省下來買的。

（秋點點頭）

鴻：他們一有空就要上這兒來照顧這兩盆花。

秋：可見得他們母親待他們一定很好。

鴻：（點點頭）我想，我把她的爲人告訴你之後，也許你能夠原諒我那幾個孩子。他們所以對母親感情特別好，簡直不能想像有什麼人可以代替他們的母親。

秋：（苦笑）誰能夠代替母親呢？

鴻：（低徊片刻）也許我不應當帶你到這兒來。

秋：不，不，我很高興我們今天上這兒來；我彷彿覺得我們得到了她的諒解。

鴻：秋懷——你呢？你眞的能夠諒解我的苦衷？

（秋走開，鴻跟上來一同散步。）

鴻：孩子們的心理可以慢慢的糾正過來。

秋：可是還有你。

鴻：你難道不相信我對你的感情？

秋：中年人的感情跟年輕的時候不同了，她是你年輕的時候所愛的人，我沒法跟回憶競爭。

鴻：我不能靠回憶過日子。

秋：鴻琛，我有個朋友在青洲島上做小學校長，他們走了個教員，找我去代課，（苦痛地）我想我們幾個禮拜不見面也好，大家都再考慮考慮！

鴻：（苦痛地）我是不用再考慮了。（沉默片刻）

秋：我們回去吧。

第二十一場

景：街道

時：日

人：秋、鴻、方、誠

（二孩吮著棒棒糖在路上走，遙見鴻、秋同行。）

誠：（指）爸爸！

方：別嚷，爸爸又跟那女人在一起。（二孩遙隨，見鴻與秋在一門口停住，話別，鴻依依不捨，秋終邀他上樓，同入，二孩向家奔去。）

第二十二場

景：王家（客室）
時：日
人：慧、川、方、誠

（慧與川正立窗口喁喁細語，二孩奔入。）

方：姊姊！姊姊！爸爸又跟那女人在一起。
慧：哦！你在哪兒看見的？
誠：在街上。
方：爸爸送她回家，一塊兒進去了。
誠：姊姊，我們不要那女人。
方：不要爸爸結婚。
慧：（代二孩整理衣髮）誰說爸爸要結婚？現在這時代，男女交朋友是最普通的事，難道不許爸爸交朋友？

方：以後他們到哪兒我們跟到哪兒。

慧：不行，爸爸要生氣的。

川：你們不是要看電影嗎？我請客。

（摸出錢予方）

慧：去看電影去，乖！

（二孩不情願地走了）

慧：爸爸後來老沒提請她吃飯的話，我當他們不來往了。

川：大概因爲你們不贊成，所以沒提。

慧：這怎麼辦呢？

川：你別著急！

慧：我母親臨死的時候我答應她照顧兩個弟弟，我無論如何不能把他們丟給後母。

川：等我們結了婚把他們接來跟我們住。

慧：爸爸不肯的。

川：如果兩個孩子鬧著一定要跟你，他不會不肯的。

慧：（思索）嗳……爸爸的經濟情形也不好，他自己再結了婚，負擔更重了。

川：我們可以跟他說，是爲了減輕他的負擔。

慧：可是我們養活不起，還得供他們上學。

川：我可以不必上夜校，晚上再找個事，多賺幾個錢。

慧：你不能放棄夜校，太可惜了。

川：不至於那麼嚴重。

慧：你說過，你現在這個職業是沒有前途的。

川：我還年輕，以後總有機會。

慧：不行，不能讓你毀了你的前途。

川：爲了你，什麼都行。（擁抱她）

（她的臉擱在他的肩頭，面色沉鬱，若有所思。）

第二十三場

景：王家（臥室連後院）

時：夜

人：方、誠、慧、小鳳、鳳後母

（方、誠已睡，慧爲二小孩蓋被，慧走向自己睡床。）

（桌上二只沒有氣的氣球）

（慧取起吹之）
（氣球上有唇膏印）
（慧感嘆——慢慢地吹氣）
（後院傳來小鳳哭聲）
（慧抓住吹了一半的氣球伸頭出看）
（後院——）
（鳳後母手持木柴邊打邊罵小鳳）
鳳後母：——叫你抱弟弟還擺架子。你沒有人家福氣好，人家有姊姊護著，早晚她姊姊一嫁人，還不跟你一樣……
（慧反應）
（手一鬆，氣球洩氣。）
（慧呆思）
川：（畫面外）我可以不必上夜校，晚上再找個事多賺點錢。
慧：（畫面外）你不能放棄夜校，你說過你現在這個職業是沒有前途的。
川：（畫面外）我還年輕，以後總有機會。
慧：（畫面外）不行，不能讓你毀了你的前途。
（重複畫面外：『不行，不能讓你毀了你的前途。』）

（慧起立，有所決定。）

（慧翻報）

（報紙特寫——小廣告『徵聘』欄）

第二十四場

景：街道（連學校門口）

時：日

人：慧、路人

（慧自一小學校門口走出，打開一張報紙，將徵聘欄中的一個招請教師小廣告畫了一個叉勾消，再找另一個圈出的小廣告。）

第二十五場

景：王家（客室）

時：日

人：慧、鴻、川、方

（慧支頤獨坐，兩份報紙攤在桌上，上面有七八個勾消的小廣告。）

（鴻入，慧忙收起報紙。）

慧：爸爸，現在找事眞難，我有個老同學託我給她留心。

鴻：她想找什事？

慧：職員、小學教員，她什麼都肯幹。

鴻：她沒念過師範？

慧：沒有。

鴻：中學文憑可沒什麼用。

慧：她家裏很苦，爸爸想辦法給她幫幫忙。

鴻：聽說青洲島有個小學請不到教員，大概待遇較苦。

慧：哦，我叫她去試試看。

（慧入內梳髮，取出外衣。）

川：（畫面外）景慧！景慧！

（川入，將一張唱片向她一揚。）

川：你猜這是什麼？（見慧穿外衣）你要出去？

慧：噯。（對鏡化妝）
川：上哪兒去？
慧：一個朋友剛回香港來，約我到青洲島去玩。
川：那島上有什麼玩的？
慧：他在島上有個別墅。
川：哦，眞闊。——是誰？
慧：一個醫生。
（沉默片刻，慧濃妝。）
川：從哪兒回來？
慧：他上加拿大考牌照去的。
川：哦。……怎麼沒聽見你說起你有這麼個朋友？
慧：（轉身向他）我以爲事情已經過去了，所以一直也沒告訴你。
（沉默片刻）
川：景慧，我不明白——難道我們就這麼完了？
慧：我早沒告訴你，那是我對不起你。也是因爲他走的時候我還小，不懂事。我現在才知道錢的好處。
川：噢，你是爲了錢？

慧：他可以送我弟弟進最好的學校，將來還可以出國留學。
川：你還是爲了兩個弟弟。
慧：（淡笑）倒也不完全是爲了他們。
川：（寒徹了心骨）噢。——你父親一定也贊成了？
慧：我父親還不知道，因爲他是個離了婚的人，我一直沒敢告訴我父親，可是現在我成年了，我父親也不能干涉我。
（束上頭紗，左顧右盼，照後影，又戴上黑眼鏡。）
川：（瞪視她）我現在才知道我不認識你。完全不認識。
（慧取出泳衣摺疊裝手提包內。方入。）
方：姐姐，你去游泳。
慧：嗳。
方：你到哪兒去？
慧：到一個小島上去。
方：我也去。
慧：過天帶你去，坐自己的小電船去。
方：唔……我要今天去！（拉川糾纏）孫大哥，帶我去！孫大哥，我跟你們去。
（川擲唱片於地，出。慧拾起破碎的唱片，見歌題乃『小兒女』。）

第二十六場

景：小渡輪上
時：日
人：慧、乘客約四十人、水手

（乘客擁擠。許多鄉人帶著雞鴨籠與整擔菜蔬，豬羊發出叫聲，也有帶公事皮包的工廠職員。慧坐機器間附近，馬達聲隆隆。一阿飛型青年來坐在她身邊，攜一手提無線電，無線電在嘈雜聲中開得極響，奏『小兒女』曲，慧不忍聞，赴欄杆邊望海，淚下。）

第二十七場

景：青洲島碼頭
時：日
人：乘客約四十人

（小輪泊岸）

第二十八場

景：青洲小學
時：日
人：慧、小學生約十人

（慧看校門招牌，入。內已放學，還剩下三三兩兩幾個小學生背著書包走出來。）

第二十九場

景：青洲小學教務室
時：日
人：慧、秋

（慧找到教務室，敲門。）

秋：（畫面外）進來。

（慧入）

慧：我聽見說貴校需要教員。

秋：是的，請坐。您有教書的經驗沒有？

慧：沒在學校教過書，可是常給人補習。

秋：貴姓？

慧：我姓王。

秋：什麼學校畢業的？

（慧示以文憑）

秋：史、地、英、國、算都可以擔任？

慧：可以。

秋：校長不在這兒，我不過是代課的。這兒的待遇不能算壞，二百八十塊一個月，供膳宿，不過島上的生活非常寂寞。

慧：我不怕冷清。

秋：請你原諒我問你一個冒昧的問題，你爲什麼願意到這兒來，完全與世界隔絕？

慧：我是爲了生活，爲了養活我兩個弟弟。

秋：你家裡還有什麼人？

慧：沒有，我是個孤兒。

秋：（呆了一呆）你使我想起自己的從前，我也是父母都不在了，就靠我一個人養家，送弟弟妹妹進學校。（苦笑）總算熬到今天，他們都能夠自立了。

慧：（同情地）您貴姓？

李：我姓李。（予紙筆）請你把你的地址寫下來，等校長回來我替你轉告。

慧：（寫）我們就要搬家了，我的信都由一個同學轉。

秋：我送你到碼頭上去。

慧：您別出來了。

秋：現在散課了，我也想出去走走。

第三十場

景：海邊（青洲島碼頭）

時：日

人：秋、慧、乘客約五十人

（渡輪鳴汽笛二響，駛近青洲島。慧、秋散步等候。）

秋：我那時候正像你這年紀，爲了維持一家子的生活；爲了讓弟弟妹妹們受教育，每天下了課又有好幾個地方補課；改卷子改到夜深。一年一年，日子就這麼過去了，他們大了，我老了。他們現在都結婚了，各人有各人的家庭，就剩下我一個人。

（乘客們下船）

慧：你從來沒想到結婚？

秋：以前是根本談不到，家裏這麼些個孩子，誰願意揹上這份家累？

慧：（欲言又止）——你從來沒愛過什麼人？

秋：現在愛上了一個人，可是太晚了，大家都到了這年紀，他已經有子女，我不願意讓人家骨肉之間發生問題，他爲這樁事也很痛苦，所以我一直不能決定。

慧：（激動地握秋手）你不能再犧牲自己了，將來要懊悔的。

（乘客們上船）

秋：我告訴你這些話也是爲了勸你，一個人年輕的時候很短，得自己珍重。

慧：（含淚）我知道。

秋：我覺得這兒環境太寂寞，對一個年輕的女孩子不適宜。

慧：我實在是需要找事。

（秋點頭苦笑，嘉許地把一隻手擱在她肩上。）

慧：我走了。

秋：我去跟校長說，大概沒問題。下學期起請你來。

（慧上船，向秋揮手。）

第三十一場

景：王家（客室）

時：日

人：慧、誠、方、鴻

（慧踏椅上取下牆上母照片，改掛一風景畫，下來站遠點端相歪正，二孩入。）

誠：爸爸呢？

慧：出去了。

方：（嘟著嘴）一定又跟那女人在一起。

慧：開了學他們當然天天見面。（坐，將母照片改裝入一撐立鏡架。）我下個月要到一個小島上去教書，你們也進那學校唸書，我們天天到海灘上去玩，好不好？

方：姊姊，眞的？（拍手跳躍）

（誠亦拍手跳躍歡呼）

慧：我教你們游泳。
誠：哥哥，哥哥，游泳！
方：爸爸也去？
慧：爸爸在這兒做事，不能去。
方：爸爸不去我不去。
誠：我也不去。
（鴻高興地持一籃蟹入）
鴻：（持示二子）今天我們吃螃蟹。喜歡不喜歡？
（二孩悄悄引退，不答。）
慧：（感觸）時候過得眞快，倒又是秋天了，螃蟹又上市了。
鴻：孫川今天來不來？請他吃螃蟹。
慧：他有事。
鴻：（不經意地）他怎麼老沒來？
慧：他這一向忙。
（慧舀水入盆浸蟹。二孩圍盆邊逗蟹。）
鴻：當心別夾了手。
（慧回憶前情）

●〔浴〕

鴻：（午飯吃蟹，慧食不下嚥。）

（向方）瞧，弟弟吃得多乾淨，你做哥哥的難爲情不難爲情？（向慧）你怎麼不吃？

慧：我忙著給他們剝。

鴻：今天下午我們跟崇濟書院比賽籃球。

慧：哦。

鴻：（向二孩）吃了飯去看賽球，好不好？

（二孩不答）

鴻：（心虛，笑）怎麼都變了啞巴？

慧：（解圍）就忙著吃了。

（鴻初次注意到牆上妻照片換了風景畫。大家在沉默中咀嚼著。）

鴻：（看錶，放下筷子）你們吃吧，我去看賽球。

（鴻入浴室開水龍頭洗手，經女室時見妻照片立床邊小小櫥上。）

（鴻出門）

慧：你們爲什麼老不跟爸爸說話？

（二孩倔强地低頭不語）

慧：爸爸就是眞結婚了也是應當的，我們憑什麼不許爸爸結婚？你想，將來你們大了，自己結婚了，各人有各人的家庭。爸爸老了多麼寂寞。

方：姊姊，我們都不結婚，陪著爸爸。

慧：這是孩子話。

方：（發急）是眞話，不騙人。我一定不結婚！

誠：（吃畢，玩氣球。）我們告訴爸爸，我們都不結婚。

方：陪爸爸。

慧：（低聲喝阻）嗨！別去跟爸爸說。

方：我知道，你不肯說不結婚，你要嫁給孫大哥。

慧：（刺心）別瞎說！

方：你自己要結婚，不要臉，要嫁人！

誠：姊姊不要臉，要嫁人，要嫁人！（用氣球打她頸項背後）

慧：（躲，强笑）好，好，我們都不結婚。（奪氣球）

誠：姊姊，眞的？

方：不許賴。

慧：眞的，一輩子不結婚。（見氣球與郊遊時氣球同一式樣，淚盈睫，手一鬆，氣球冉冉飛去，升至屋頂，誠追逐捉線。）

方：我們去告訴爸爸，我們三個人陪他不結婚。

（偕弟出）

（慧只管自己垂淚）

第三十二場

景：德育中學操場

時：日

人：方、誠、秋、鴻、張姓職員、二隊籃球員，學生二百人

（兩隊籃球比賽，秋作裁判員。一球入籃，歡聲雷動，客隊輸了。鴻立觀衆中攜著秋的外衣，上前代她披上。二人在人叢中消失。）

（觀衆將散盡，二孩匆匆來。）

方：（見一職員）張先生，我爸爸呢？

張：（回顧）剛才還在這兒，說要到新界去玩。

方：（向弟）一定我們老去的那地方。走。

（向校門偕行）

誠：又跟那女人一塊兒去了？

方：（點頭）我們快去，遲了來不及了。

誠：沒車錢。

方：去跟孫大哥借去，他就住在那兒。（指斜對面橫街）

第三十三場

景：孫家

時：日

人：方、誠、川、孫母

（孫母引二孩入，推孫川室門。）

孫母：川兒，有小客人來找你。

（川坐窗台上看書，二孩入。）

誠：孫大哥。

方：孫大哥，跟你借兩塊錢。

（川不睬）

誠：噯，孫大哥。（上前推他）

方：借兩塊錢車錢，我們到新界去。（掏川袋）

川：你們闊了，還來找我這窮光蛋借錢？

方：（仍推搡糾纏）孫大哥，孫大哥！

誠：

（川不睬）

方：好，不理人。你別想跟我姊姊結婚，她一輩子不嫁人。

川：（嗤笑）一輩子不嫁人？

方：眞的，姊姊剛說了。

川：（嗤笑）你們馬上就要有個闊姊夫了，還要送你們出洋留學。

方：姊姊說她一輩子不結婚，陪著爸爸。

川：騙你的。（仍看書）

方：眞的，她下個月教書去了。

誠：我們也去。

方：我們也進那學校唸書。

川：（疑）教書？——你們沒看見一個醫生來找她？

方：沒人來找她。

川：她是不是常常出去？

方：老沒出去。

誠：天天在家。

（川呆了一會，突然推開二孩往外跑。）

方：噯，孫大哥！——（追）車錢！

（孫掏出一張鈔票，塞在他手中，轉身跑。）

第三十四場

景：郊外

時：日

人：方、誠、秋、鴻

（鴻與秋坐談）

秋：在青洲島我碰見一個女孩子，她的身世也跟我差不多——

鴻：她也是個孤兒，帶著許多弟弟妹妹。

秋：兩個弟弟。她勸我的一句話我老是忘不了，她說你不能再犧牲自己了，將來要懊悔的！

鴻：你也得替我著想。我不能夠沒有你。

秋：我更需要你。你到底還有自己的家庭。

鴻：（方在樹叢窺視，返身打手勢令弟悄悄走近一同窺視。）我們已經等得太久了，不像年輕人等個一年兩年不算什麼。

秋：你都不知道，有時候你回去了，我一個人站在街上望著你們的窗戶，裏頭點著燈——（哽咽住了）

鴻：秋懷。（將一臂環抱她的雙肩，她靠在他肩上拭淚。）我們馬上宣佈，月底就結婚。（秋抬起頭來，還沒說話——）

方：（焦急地大叫）我們不要你！不要你！不要新媽媽！

誠：（鼓譟）不要新媽媽！不要新媽媽！（鴻大窘。秋起行。）

鴻：你們別胡鬧。（跟秋走）秋懷——秋懷。

方：（跟上去，拉鴻）爸爸——爸爸。

誠：（不睬）秋懷，你聽我說——

鴻：爸爸，姊姊說了，我們三個人都不結婚，陪你。

方：（怒）走，你們回去！——馬上給我回去！

鴻：（二孩有些害怕，鬆手，呆了一會，轉身去。鴻趕上秋，保護地托著她的肘彎，但二人都感覺到無話可說。）

第三十五場

景：王家客室
時：日
人：川、慧、方、誠

（川、慧談，慧在拭淚。）

川：我明白，你欺騙我都是爲了我，你不想想，沒有你我還有什麼前途？活著也是白活著。

慧：我難道不痛苦？我是沒辦法。

川：你不知道我多麼灰心，想著連你都那麼勢利，這世界上還有什麼東西是我可以相信的。

慧：川，對不起你。

川：我再也不放你走了。（擁抱她）

慧：（掙扎）不行——我——不，我不能害了你。

川：你還要這麼說。（吻她）

（二孩頹喪地走入，見川、慧長吻。半晌，四人都寂然站著，一動也不動。）

川：我們什麼時候結婚？等你父親回來我們就告訴他。

方：你說不結婚又結婚！不要臉！不要臉！

誠：姊姊不要臉！不要臉！

（慧掙脫川的懷抱，別過身去。）

川：（窘笑）你們不能這樣自私。來，我們好好的談談。（拉二孩同坐）有些事情你們現在不懂，將來大了就明白了。

（二孩握拳打他，拚命掙脫了奔出。）

第三十六場

景：墳場

時：日

人：方、誠

（方、誠撲在墓碑上哭）

方：媽媽！媽媽！

誠

方：爸爸不要我們了，姊姊也不要我們了，媽媽你在哪兒？

（把頭抵在碑上）

誠：（搥打墓碑）媽媽你回來！我要媽媽！

方：（哭了一會，把別人墓上一束花拿到母墓上）媽媽，給你！

誠：哥哥，天黑了，我怕！

方：回去吧。媽媽——我們走了。

（二孩偕行至門前，門已上鎖。）

方：噯呀，關門了！（搖撼門，四顧無人踪，砰、砰、砰打門，遙聞車聲馳過。）嗨！嗨！

（無人應，風沙吹落葉，搖搖的樹枝中突然出現一個石膏天使的臉，空洞洞的眼睛望著他們。）

誠：（恐怖地靠近方）哥哥——

（風過，天使的臉又隱去，方又砰砰地打門。）

（方試爬鐵門，不數步，退下，再打門。）

第三十七場

景：王家客室

時：夜
人：鴻、慧、川

慧：（夜九時，鴻頹然入，慧正打電話。）
（强笑）好，過天見！（掛上電話）爸爸，弟弟他們不知跑到哪兒去了，也沒回來吃飯，我到處打電話也找不到他們。
鴻：哦？奇怪，他們什麼時候回來的？
慧：四點多鐘。
鴻：（心虛）回來沒說什麼？
慧：（心虛）沒說什麼。
鴻：（繞屋徬徨，微嗽，尷尬地。）他們到底怎麼跟你說的？
慧：（尷尬地）不過是孩子話。
鴻：（以爲女已知郊外事，愧恨，自言自語。）咳！這兩個孩子眞是，——我出去找去。
慧：上哪兒去找呢？我都問過了。
鴻：就怕是馬路上撞著汽車。
慧：就是呀！
（川入）

川：老伯——他們還沒回來？

（慧搖頭）

川：上哪兒去了？這時候公園也關門了。（忽想起）他們在我這兒取了兩塊錢車錢，會不會到郊外去了？

鴻：我們上次野餐的地方……我在那兒見過他們，叫他們自己回來的。現在這麼晚，不會再去吧……（略思）我去報警察局，打聽打聽醫院裏有沒有汽車出事的。（出）

川：你別着急，他們是賭氣出去了，一會兒也許就回來。

慧：他們要是出了什麼事，我一輩子也不能原諒我自己。（哭）

川：你這算什麼？又不怪你。

慧：怎麼不怪我？都是因爲他們看見你跟我——

（川不語，攬慧撫慰，慧幾乎是惱怒地推開他，取外衣穿上。）

慧：我到街上去找去。

川：我陪你去。

慧：我不要。

川：爲什麼？

慧：要是給他們看見你跟我在一起，更刺激了。

川：那我跟你分頭去找吧，我到郊外去看看，也許他們又去了。

（川匆匆出）

第三十八場

景：墳場

時：夜

人：方、誠

（天空中閃著電光）

（方與誠搬著木箱木櫈之類疊起在鐵門下）

（方踏上木箱試圖爬上鐵門頂，爬出門外。）

（誠小心地扶著木箱）

（方戰戰兢兢地向上爬）

（一陣風砂吹來，誠驚恐，一鬆手從木箱跌下。）

（方雙手用力拉住鐵枝）

（方踏在鐵門上的一腳一滑，滑出鐵枝外。）

（誠驚叫）

（方之腳爲鐵枝夾住，無法拔出。）
（風砂陣陣，電光閃閃。）
（二孩益加驚恐）

第三十九場

景：街道、荔園、戲院門口
時：夜
人：慧、路人

（慧在街上到處找尋）
（慧在荔園到處找尋）
（慧在戲院門口找尋）

第四十場

景：警局

時：夜
人：鴻、警官、警員
（鴻在警局查詢）
（一警官遍查各簿）
警官：全查過了，沒有這麼兩個孩子。
鴻：（著急）糟了，他們已經不見了六個多鐘頭啦！
警官：我現在已經把這件事記錄下來，一有消息馬上通知你的，你把你的地址留下！
鴻：謝謝你！（寫地址）

第四十一場

景：郊外
時：夜
人：川
（夜十一時半，川拿著電筒在舊遊地找尋。）

川：（叫喊）景方！景誠！你們躲在哪兒？出來，你們家裏著急呢！景方！景誠！

（川走到池塘邊，想起失足或投水的可能，望著水怔住了。川順手拾起一長竹向池內打撈。）

（開始下雨。川驚覺，冒著風雨向前走，遺下手帕。）

川：景方！景誠！

（雨越下越大。他折回向鎮上奔去，遙見燈火人家。）

第四十二場

景：農居

時：夜

人：川、鄉人

（川冒雨來至農居門前打門）

（農人開門）

農人：什麼事？半夜三更的！

川：請問你有看見兩個小孩兒，一個九歲，一個八歲？

農人：沒有。

川：謝謝你，能不能幫我一個忙？我怕這兩個小孩掉在池塘裏，你能幫我一起去打撈一下嗎？

農人：有孩子掉在水塘裏？不會的，而且下這麼大雨，怎麼打撈？

（農人不理會川，關門。）

（川無奈，冒雨走向另一個農居。）

第四十三場

景：秋家

時：夜

人：秋

（夜十一時三刻。秋改卷子，窗外風雨聲，無線電發出低低的音樂，曲終。）

（報告員的聲音）這是ZPMA，港九廣播電台。九龍賣花街八十三號王宅走失兩個男孩：王景方九歲，王景誠八歲。如果有人看見，請報告警察局二區分局。現在時間十一點三刻，請各位繼續收聽音樂節目。（音樂開始）

（秋吃驚，知道是由郊外那一幕而起，一剎那間臉上帶著犯罪的神情，隨即鎮定下來，立起身穿上雨衣，取傘，關無線電，關燈出。）

第四十四場

景：街道

時：夜

人：秋、傭婦、小孩甲、乙

（秋持傘在馬路上走，東張西望，漫無目的。）

（一傭婦攜著兩個穿雨衣的小孩在前面走，秋繞到他們前面認了認雨帽下的臉，又惘惘地往前走。）

第四十五場

景：孫家

時：夜

人：慧、孫母

（孫母開門，慧入。）

慧：伯母，對不起，孫川回來了沒有？

母：沒有呀！他吃晚飯的時候回來拿了一個電筒出去，一直到現在還沒有回來，我也正在打電話到處找他。

慧：他一定在新界！我去找他。（回身便走）

母：噯！等一等，拿把雨傘去。

慧：謝謝您！

第四十六場

景：街道

時：夜

人：秋、貧兒

（天色漆黑。秋下半截衣服濕透，在大風雨的街上走。）

（一貧兒在門洞子裏避雨，坐在梯級上哭。秋震動，走近一看，只有四五歲，她繼續往前走。）

貧兒：（揉著眼睛哭喊）媽媽！媽媽！

（秋聽見，觸機，回顧。怔了一會，過街向墳場方向走去。）

第四十七場

景：墳場

時：夜

人：秋、方、誠

（風雨大作）

（誠、方渾身濕透）

（方無法使腳由鐵枝內拔出，吊在半空中。）

（誠協助方，拉方之腳，無法脫出。）

（雷聲隆隆，閃電中一尊尊天使像似作神秘猙獰的微笑，振翅欲撲，一排排墓碑後黑影幢幢，樹間風雨聲像腳步聲。）

誠：（抱緊方腳）我怕！

方：（硬頂著）不怕！不怕！

誠：媽媽！媽媽！（哭）

（方也哭了起來）

（街上，一個夜歸人聽見墳場內哭聲，毛髮皆豎，把頭縮到衣領子裏，立即回身匆匆向原路走回去，走不了幾步，開始奔跑，與秋掠身而過。）

（秋以爲是暴徒，吃驚四顧，那人一滑倒，爬起來又跑。）

（秋聽見墳場內哭聲，細聽是孩子的聲音，並且彷彿聽見叫『媽媽！媽媽！』）

秋：景方！景誠！

（哭聲停止）

（二孩側耳聽）

秋：（畫面外）景方！景誠！

誠：是媽媽！

秋：（畫面外）景方！景誠！

方：眞是媽媽？（與誠愕然互視）

誠：媽媽來了！

（秋來至鐵門外一望——見大雨中，方、誠兄弟的狼狽狀。）

（秋見，悲喜交集，正要開口說話——）

誠：又是她！（怒目而視）我們不要你！不要你！不要你！

（退後）

（秋刺激，但見方在鐵門半中間拚命拉被鐵枝夾住的腳不果。）

（秋上前助之，代方除去皮鞋，腳立即脫出。）

（誠在後面叫方別理秋）

（方腳脫出鐵枝後欲回入，秋助之向上爬。）

（方略一懷疑後接受秋協助）

（秋助方翻出鐵門外）

（秋叫誠上前爬鐵門）

（誠不從）

（方勸之，誠來至鐵門前。）

誠：哥哥我冷！

方：（拉住誠手）你的手這麼熱，還說冷？

秋：什麼？（上前摸誠頭）你弟弟發熱，他恐怕不能爬出來啦！

方：他病了？

（秋點點頭，脫身上雨衣給誠披在身上，又將手中雨傘交方。）

秋：（對方）你小心照料著弟弟，我去找警察。
（秋冒雨奔去）
（二小孩不禁露出感激的眼光）

第四十八場

景：郊外
時：夜
人：慧、的士司機

（公路邊，慧坐的士來至路邊停下）
慧：（下車向司機）請你等我一等，我馬上就回來的。
司機：快一點！
（慧冒雨走向水塘）
（慧來至水塘邊四找，高叫孫川。）
（慧發現川遺下之手帕大驚）

（慧拾起手帕，再高叫孫川。）

（慧四找不獲，奔向的士。）

（慧來至的士前，上車。）

慧：請你開我到警局去，我要報案！

（的士駛離）

第四十九場

景：墳場門口

時：夜

人：

（雨中，一輛救傷車駛離。）

第五十場

景：車中

時：夜
人：秋、川、誠，警員甲、乙，救傷甲、乙
（車中，誠擠在方與秋之間。）
方：（向前座的警甲）我弟弟病了。
秋：（試了試額，低聲）噯呀——發燒呢。
警甲：淋了一夜的雨，怎麼不凍病了！
警乙：送他到醫院去吧！
秋：也好，讓醫生檢查一下。（脫外衣加在誠身上）
（車繼續行駛，誠自外衣袋中掏出哨子把玩。）

第五十一場

景：郊外
時：日
人：川、鄉人、警員

（晨七時，雨止，鳥聲啾唧，樹上滴水，枝幹摧折，落葉遍地，池塘水漲。）

（川匆匆來到池邊，見一羣工役在打撈池塘，數警員督工，數鄉人旁觀，川震動。）

川：對不起，請問你們這是幹什麼？

（衆員工只顧忙著，不理睬。）

鄉人甲：撈屍首呢！

（川色變，立鄉人旁同看。）

川：（沉默片刻）是投水還是不小心掉下去的？

鄉人乙：誰知道！

鄉人甲：反正不是本地人！

（一工役拭汗稍憩，川搶著幫他工作。）

第五十二場

景：王家客室

時：日

人：鴻、慧

（晨八時，鴻頹喪地坐在電話邊，慧淋得像落湯雞似的回來。）

慧：爸爸什麼時候回來的？

鴻：（意識模糊地抬起頭來）唔？……沒有消息？

慧：沒有，沒有電話？

鴻：（搖頭，但突然想起）孫川的母親打電話來，說孫川一夜沒回來，到處找找不到，又說你也去找孫川了。（慧點點頭）找到沒有？

（慧搖搖頭）

慧：（撲在鴻身上哭）爸爸，我怕！

鴻：（機械地撫慰）噯呀！你渾身都濕透了，快去換衣裳，別著凉！

慧：（哭）他要是有個什麼，都是我害了他。

鴻：爲什麼？你太累了，太緊張了。

慧：爸爸你不知道——（哽咽得說不出話）

鴻：你一夜沒睡，去睡會兒。

（電話鈴響，二人心驚肉跳，搶著去聽。）

慧：喂？……噯，噯，是的……（狂喜）啊……（向鴻）找到了！

鴻：（模糊地）誰？孫川？

慧：（搖頭，向電話中）哦，哦……

鴻：（大喜）你弟弟找到了？（貼近去聽）
慧：（點頭，向電話中）哦，南華醫院……
鴻：（焦急）他們出了事？受傷了？
慧：（擺手，向電話中）好，好，我們馬上就來。

第五十三場

景：郊外
時：日
人：川、鄉人、警員

（工役們用鈎竿打撈，川站在齊膝的汚泥中協助。）
警丙：行了，不用再撈了，這麼大個子，撈了半天，還會找不出來？
川：（拭汗）不是兩個小孩？
警丙：什麼小孩？五呎十一吋半，比你還高。
川：（驚異）你們找什麼人？
警丙：（自一張單子上讀出）孫——川，年二十四歲，身高五呎十一吋半。

川：（呆了一會，放下鈎竿上岸。）我就是孫川。

（衆警員不理他，自指揮工役收拾工具回去。）

川：噯，你們找哪一個孫川？（有點膽怯地）我也姓孫，叫孫川。

（警丙詫異，取出照片與川比，川抹得滿臉黑泥，面目全非。）

第五十四場

景：醫院

時：日

人：秋、方、誠、川、慧、鴻、看護、病人

（晨九時。候診室中有幾個病人候診，秋坐閱報，報紙遮著臉。誠挾秋外衣坐秋、方之間。）

（鴻、慧入，一眼看見二孩，看護跟入。）

鴻：（含淚）噯呀，你們這兩個孩子！

慧：（向方）怎麼，弟弟凍病了？

（秋悄然起行）

看護：醫生給他檢查過了，不要緊的，不過受了點凉，有點熱度。

慧：噢。

鴻：（見秋往外走）噯，秋懷，別走！

（秋回顧，見慧，驚異，慧也驚異。）

看護：回去讓他躺下，這瓶藥一天吃三次。（予慧）

鴻：（向秋）我們一塊兒走？

秋：我先走了，我等你們來了就可以放心走了。

（出室）

（鴻跟至大門口穿堂）

鴻：別走，我要景慧見見你。

秋：（慘笑）你不知道，她就是我告訴你的那個孤兒。

鴻：嗯。

秋：她爲了你跟我，要找事養活兩個弟弟。鴻琛，我走了，學校方面我決定辭職，以後我們別見面。

（鴻拉著她，但是她用鐵石一樣的眼光望著他，他鬆了手，她向外走。慧攜外衣自內出。）

慧：李小姐，你的衣裳！

秋：（微笑接著）哦！

慧：李小姐，自從在青洲島見到你，我非常佩服你的爲人，我希望——（低聲）希望我父親能夠跟你結婚。

鴻：（窘笑）眞想不到你們瞞著我見過面。

（二女雙手交握，川狼狽入，遍身泥汚。）

慧：噯呀，你來了！我都急死了——（喜極而泣）

鴻：當你失蹤了。

慧：（拉著他渾身上下看）怎麼這樣？沒出事？

（誠吹著哨子走出，方隨。）

鴻：嗨！不許吹，這是醫院。

慧：你看，都是爲了你們倆，大家淋著雨跑了一晚上，都急死了。

鴻：景方，弟弟不懂事，都是你帶著他胡鬧！

（方垂頭不語）

慧：害得人還不夠，你們還要鬧？（奪下哨子）還不還給李小姐！

（誠有不捨狀，但終於拿去遞給秋。）

秋：送給你。

（誠接著，仍低頭不語，瞟了瞟父親與姊，秋撫他的頭髮，方有妒意，奪哨子一路吹著跑出去，誠追。）

《劇終》

魂歸離恨天

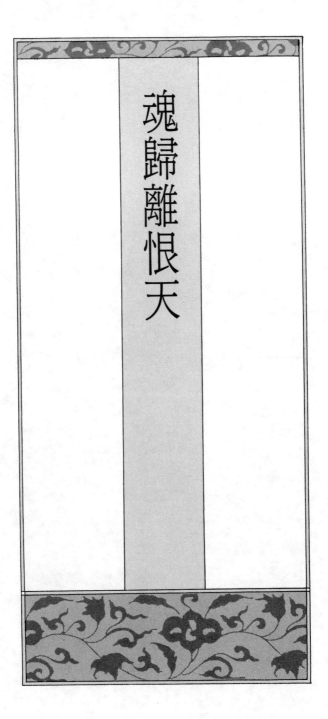

《人物》（年齡係劇中早年）

葉湘容——十九歲

端祥——十九歲

葉祖培——湘容之弟，十七歲

葉太太——湘容之母

高緒蓀——廿歲

高緒蘭——緒蓀之妹，十八歲

客——風雪夜行人

錢大夫

老王——葉家僕人，四十五歲，胖大角力者型

高宅僕人多人
舞會賓客
高父——緒蓀之父
葉家女僕一
端偃用新僕一人

第一場：山道、葉家

（一九四七年北京西山大風雪之夜，古道上一行人掙扎著走，遙見燈火人家，改向燈光走去。）

（房屋外景：荒涼的老屋，窗戶都用木板擋上。馬棚已半坍。行人找到院門，試推，門開尺許，不情願地，似有隱形的手阻攔著。他擠進去，入莊院，向有燈光的屋子走去。犬吠聲突升至風聲呼呼之上。幾隻餓狗自雪花中躍出，直奔行人。行人與犬鬥，掙扎至屋門前，敲門無人應，犬仍跳起來咬他。客打門，不料門未鎖，應手而開，見一男二婦圍火盆坐，一老人立陰影中，都一動也不動。客驚異地瞪視他們。）

端：（髮已半白；沉默片刻後）你是哪兒來的？來幹什麼？

客：你們的狗眞厲害。（打狗）

（端叱喝狗，用火鉗打。狗終於一隻隻都走開了。）

客：我是新搬來的，回來晚了迷了路。

端：下這麼大雪還出去？

客：有要緊事，沒辦法。（撣身上雪）您貴姓葉是不是？（端略一頷首）聽說十里內就我們兩家。我住著從前高家的房子。

（緒蘭突然抬起頭來，欲言又止。）

客：能不能請你派個人送我回去？（伸手向火）

端：我這兒就一個當差的，走不開。

客：那對不起，只好打擾你一晚上，等天亮再走。

端：（冷淡地）你自便吧，恕我招待不周。

客：（譏諷地）那麼……我就老實不客氣坐下啦？（自拖椅坐，四顧，好奇地打量那頹唐的老婦，木立一隅的老人，蓬頭敝衣的中年婦人；向婦）勞駕，有熱水沒有，能不能倒杯水我喝。

（蘭望望端。端初無表示，旋不耐煩地點點頭。蘭起。）

客：這位是葉太太？

端：（諷刺地）不錯，這位是我太太。

客：（蘭走過端前似有畏縮狀，出室。）（被冷遇，氣憤）我一個陌生人打擾你們府上，實在說不過去。

端：我沒預備客人在這兒過夜，只好委屈你，在傭人床上將就一晚上。

客：不用不用，就在椅子上睡。

端：（突然軟化）算了！跟你無冤無仇。我這兒難得有人來，都忘了怎麼招待客人。老王！把鎖著的屋子打開一間。（擲鑰匙予王，不與客招呼，自去。）

（蘭捧茶來，恐懼地望著端背影，像忠心的狗一樣。）

（內院走廊上，老人蹣跚持油燈前導，客隨。）

客：你們這兒沒裝電燈？

王：（點頭搖腦漫應）嗳，嗳。（立一門前躊躇片刻，向自己笑了一聲，推門，門開極緩，似澀。）

（客見一舊式臥室，陳設俱全，惟粉牆剝落霉濕，到處蛛網灰塵，一椅缺一腿，床帳已腐成破布條子。）

王：給你這間屋子，新娘子的新房，（笑）這些年都沒人住過。

客：好冷。沒火？

王：這麼晚了還生火？（就燈上代點燭）這間屋子還不好？這一間頂講究。

客：好吧。（脫衣，試坐床上，撫枕褥有陰濕感，寒顫，回顧見王仍立門口。）好，沒什麼了。（王徐徐關門）

（客臥看室中陰影，聞風吹窗。旋起床自書架取一書，撣灰，打開，見扉頁上寫『葉湘容』名。看書困倦，吹燭睡。）

（客在床上翻覆，窗外風雪更狂。一敲窗聲繼續不斷，是一扇窗吹開了，單調地來回敲打著，似欲喚人醒來。客醒，猶半在夢中，見雪花成陣飛旋入室。客恐懼地下床。窗繼續敲打。他走向窗前。）

女聲：（隨雪飄入）讓我進來！讓我進來！我在山上迷了路。

（客大恐，伸手關窗，正要碰到窗時又掣回手，嚇怔住了，似有冷手握他的手。在雪浪中似見一女模糊的影子，蒼白，長髮披散風中。）

女：（悲呼）讓我進來！我迷了路！讓我進來！

客：（手仍被半透明的小手握著，大叫）救命！來人啊！葉先生！葉先生！（拚命甩開那拉著他不放的東西）來人哪！葉先生！快來！

（門砰然打開。端舉燈立門口。）

客：有人在外邊。一個女人。我聽見她呼喚，老是叫自己的名字。叫湘容。（以手拂額，以較鎮定的聲音重複。）湘容。（記起書上名字）我準是做夢呢。對不起，嚇糊塗了。

端：（竭力抓住他向門外推）你出去。——叫你出去。（推客出室，砰上門，趕到窗前，推開窗，風捲雪入。端探身出。）你進來！進來！湘容！湘容！（哽咽）你回來吧。這次你該聽見了，叫你多少回都不答應。你聽見沒有？……湘容！我等你這些年了，天天想你。湘容！

（雪掃端身）

（廳上，客摸黑走入，見老婦獨擁火坐。客猶有餘悸，聞端呼聲，聽不清說什麼。）

葉太：（不向他看，磔磔地自己笑著。）我猜著你在那屋裏過不了一宿。

（客向她看看，仍未定下心。）

葉太：怎麼了？看見什麼了？

客：我做了個夢，彷彿聽見人叫喚。我起來關窗戶，覺得有個手拉我，大概做夢還沒醒，看見一個女人……

葉太：是湘容。

客：湘容是誰？

葉太：我死了的女兒。

客：我不相信有鬼。

葉太：（自他回到廳上初次看他）你聽我告訴你，許就相信了。（添柴）

客：你就這一個女兒？

葉太：（閉著嘴嘆了口氣）夫妻倆三十多歲才養下這個女兒，想兒子都想瘋了，到孤兒院去抱了個男孩子回來，也是討個吉利。第二年倒眞就生下個兒子，他爸爸慣得他不得了。他爸爸又死得早，我沒法管他——

客：就是剛才那位葉先生？

葉太：（略頓了頓）不。不是他。他是領來的那個。

第二場：葉家

（十七年前，同一住宅雖舊猶整潔。年輕而襤褸的端祥挑水走過。湘坐樹上看書吃水果，隨手拋下果核正打中他。他回顧微笑，脚下一絆，潑掉半桶水。湘笑。他放下擔子。）

OS葉太：湘容！湘容！

（端聞聲自挑擔子走開，不復回顧。）

湘：噯。（自横枝上爬過去一躍而下，自窗入廳。）

（葉太獨自在廳上。）

葉太：你看你，這麼大的人了還這麼野。

湘：一叫馬上來還不好？

葉太：（授以一信）這封信是哪兒來的？

湘：（看封套）弟弟的學堂。

葉太：哦？（叫）祖培！祖培！你看信上說什麼。（將拆信先取剪刀，注意到天然几上空的一角）咦？花瓶呢？

湘：噯，那隻花瓶哪兒去了？

葉太：老王！老王！

（王入）

葉太：這兒有個古董花瓶怎麼沒有了？

王：啊？不知道。

葉太：你管幹什麼的，丟了東西都不知道？

王：太太，這不是我一個人的事，端祥這小子什麼都不管。

湘：你自己偷懶，還往別人身上推。

王：小姐，端祥的脾氣您還不知道，就爲少爺罵了他，這兩天鬧彆扭哪。

湘：都是你，弟弟也都是給你挑（上聲）的。

葉太：小姐家跟他們鬧些什麼。

湘：媽，你說，端祥從小在我們家，是不是跟自己人一樣，現在好，給他們糟踐得不像人！

（幾乎要哭出來）

葉太：咳，本來是領來做兒子，打算讓他讀書上進的。自從你爹死了，家裏不像從前，養不起吃閒飯的，只好讓他幫著幹活。（數說間，僕逡巡去，女剪開信封閱信。）我去瞧瞧，不知還丟了什麼別的。（解下脇下一串鑰匙向裏走）

湘：弟弟讓學校開除了。

葉太：開除？爲什麼開除他？

湘：說他行爲不端。

葉太：那麼點大的孩子，能幹出什麼事——說他『行爲不端』？（一把搶過信箋來呆看）祖培！祖培！

湘：媽不叫我進學堂，我要是進學堂橫是不會像他這樣丟人。

葉太：我去找他校長說話去。

湘：媽，別去。（拉住她）

葉太：老王！

（王來門首）

葉太：套車，我上城去。

王：噢。（正要走——）

葉太：少爺呢？

王：少爺出去了。
葉太：啊？上哪兒去了？
王：沒說。
（母女面面相覷，不約而同望著天然几上薄薄的一層灰塵中瓶座的圓印。王去。）
湘：一定是他拿去當了。
葉太：不會吧，我剛給他三十塊錢嘿。
（湘負氣轉身走開）

第三場：葉家

（黃昏。葉太室，母子燈下談。）
培：好，好，丟了東西也是我偷的，什麼壞事都是我幹的。
葉太：那你說，學校爲什麼開除你？
培：我怎麼知道黃老頭子爲什麼恨上我了。
葉太：上次有人看見你跟壞女人在一起，我還不信。
培：媽就是這樣，不許我交女朋友，倒不管姊姊跟男傭人交朋友。
葉太：別胡說，你姊姊跟端祥從小一塊長大的，跟你一樣都是姊妹似的。

培：誰跟他是姊妹？那小雜種！
葉太：人家沒爹沒娘也可憐。
培：媽反正護著他。
葉太：媽就是你一個兒子，偏不給媽爭口氣——
培：我不爭氣，有端祥呢，他孝順。
葉太：這孩子，說糊塗話！
培：花瓶準是他偷的。（盛氣趕出去）
葉太：別胡鬧。祖培！祖培！

（培氣洶洶走出院中，至馬棚，王正吸著旱烟看著端飼騾。）

培：老王！給我捆上打他，問他把花瓶怎麼了，非得叫他招出來。
王：噢，噢。（取繩及棒）擔子越來越大，偷起東西來了？

（端放下稻草，威脅地迫身向王。王遲疑。）

培：（笑）你害怕？
王：（笑）從小給我打慣的，我怕了他啦？（硬著頭皮一棒打去沒打中，端打還，王抵抗，終被打倒。）（培拾馬蹄鐵擲端，傷額。湘奔來攔阻。）
湘：媽！媽快來！

培：要你護著他！

湘：讓學校開除了，虧你還有臉回來打人。（扶端倚車輪坐）端祥！

培：看你心疼得這樣。

（葉太來）

湘：媽，你也不管管他！

葉太：嗳喲，你這是幹什麼，又拿他出氣。

培：你沒看見他打人，你問老王。

（王訕訕地爬起來，走出。）

葉太：算了，不給你錢再也沒個太平。你跟我來。（拉培同出）

（湘撕衣蘸槽中水代抹去血跡，代包紮。）

湘：端祥！端祥！說話呀。

端：（遲鈍地）叫他等著，我要報仇。

湘：你別跟他一樣見識。

端：只要能報仇，等多少年都行。就怕他死在我前頭。

湘：（恐懼起來）端祥，你別這麼著。（哄他高興）你不記得我們小時候我老說，你爸爸是個蒙古王爺，你媽是滿洲公主，等你找到你爸媽，看他們還敢欺負你。

（端不語）

湘：疼得厲害麼？我去拿藥去。（將去，被他拉住。）
端：不疼。
湘：藤蘿花開了，我們採花去。
端：好。
湘：走，現在就去。
（端起，聞人聲。）
OS培：揀匹好騾子我騎。
OS王：少爺這時候還出去？路上當心。
湘：（低聲）我在那邊等你。（王持燈籠入，牽騾加鞍。培入。）（奔去）
培：瞧這馬棚比豬圈還髒。（向端）要你幹什麼的？打掃乾淨。
王：聽見沒有？
培：我要你今天晚上給我打掃乾淨。
王：回頭我看著他拾奪。
培：你裝死？也不扶我一把。
（端遲疑，終於雙手托培足，扶上騾。）
培：等我回來要是還沒拾奪好，跟你算賬。
王：這回他別想活著。

（培騎騾去。端望著他走了，突然返身跑。）

王：咦，上哪兒去？端祥！端祥！回來！少爺叫你拾奪馬棚。少爺生氣呢。

（端向野外跑去）

第四場：巖上

（湘在巖下等候。端奔來。）

湘：我聽見老王叫你。他沒看見你往哪邊走？

端：（陰鬱地）不知道。

湘：讓他們知道了可不得了。

端：知道又怎麼著？你難得跟我說句話，這些時一直不理我。

湘：還怪我不理你？你自己看看，一天比一天髒，破破爛爛像什麼樣子？你爲什麼這樣沒出息？爲什麼不逃跑？

端：（呆住了）逃跑？——你在這兒。

湘：你不會回來接我？像我們從前說的蒙古王子一樣，救我出去。我關在家裏也受氣，女孩子不許上學，不許這樣不許那樣。

端：（狂喜）湘容，你馬上跟我走。

湘：走到哪兒去？
端：哪兒都行。
湘：（徐徐搖頭）去討飯？去偷去搶？我不幹。
端：哦，你光要我走。我在這兒熬了這些年了，挨打受氣，連狗都不如，可是我不走，就爲了你在這兒。我這輩子死活都在這塊石頭底下。
湘：（感動）這是你的王府嘍。王爺請。
端：妃子請。（二人禮讓上巖）
端：（上坐）宣王妃上殿。
湘：王妃騎著駱駝來了。（跨一塊雙峯石，唱蒙古王妃歌。）
端：（笑）你好久不唱這個了。（幫腔）叮個鈴個鈴。
湘：這是什麼？
端：駱駝的鈴鐺。你沒看見駱駝進城？
（湘唱，忽聞樂聲，繞至另一邊，遙見別墅燈光燦爛，風傳舞樂時響時輕。端跟來。）
湘：你聽見吧？
湘：高家請客，跳舞。我們去看。（拖他走）你看見了包你也喜歡。（同下巖，攜手狂奔）

第五場：高家別墅

（湘、端爬牆入園，一犬吠。吠聲止。二人穿過花園至屋前，趴在窗上窺視舞會。）

湘：（低聲）你看那女人多漂亮，（指一女）我就喜歡這樣的衣裳。你穿西裝一定比他們都漂亮。……端祥，我們也有這一天嗎？

（一犬作嗚嗚聲。二人回顧。衆犬吠。）

湘：（突感恐懼）端祥，快跑！（跑在端前，衆犬在黑暗中竄出追趕。）

（端舉湘上牆，然後爬上去助湘越牆。她的腿仍盪下來。一犬跳起來咬她足踝，她叫喊出來。）

（主客湧出園中）

蓀：一定是有人進來。

一僕：小偷，沒準是强盜。

高父：小姐太太們別出來。

蓀：（高聲）是什麼人？

（端打狗，狗咬著湘不放。傭僕們持火鉗棍棒來。）

湘：端祥你快跑，別管我。

端：（向眾人）你們的狗咬人都不管？

一僕：是葉家的小姐！

（蓀上前叱狗，二僕幫著拉開狗，湘痛極暈倒。）

蓀：咬得不輕。

眾客：（紛紛地）暈倒了？——嚇著了。

蓀：（向僕）快點，幫我抬她進去。

端：不許你們碰她。

高父：（指端）這是什麼人？

僕：（向端張看）是葉家的當差的。

高父：當差的陪著小姐到處亂跑？帶他進來。

（眾僕拉端入。端掙扎，搶著扛抬湘。）

端：小心，別碰著她——流血呢。

湘：（微弱地）端祥！快跑！

高父：別讓他跑了。老張，抓著他。

（眾擁湘入）

（廳的一角。湘臥沙發上，蓀俯身檢視傷腿，眾圍觀。）

蓀：叫李媽拿熱水來。

蘭：李媽！熱水。馬上要。
蓀：有繃帶沒有？
蘭：有有。哥哥，她傷得厲害嗎？
一女客：得請大夫。
一男客：這麼晚了，大夫出不了城。
一僕：有個錢大夫就住在這兒不遠。
蓀：叫汽車去接去。
僕：噢。（急去）
蘭：不是瘋狗咬的？
高父：別胡說，我們的狗沒病。
蓀：還是得送醫院去驗過才放心。
（端推開老張越衆上前）
高父：（見端）小子，你說，是怎麼回事，半夜三更跑到人家家來？
端：你們的狗咬傷了她要你們賠。
高父：好，倒訛上我們了！一個小姐跟著男傭人晚上到處亂跑，眞沒家敎。
蓀：爸爸，別說了，人家受了傷。
高父：（頷示僕人們，略咕噥了一聲）攆他出去。

（僕人們圍上來將端雙臂扭到背後）

端：要走一塊兒走。

湘：（微弱地）讓我走。我要跟他一塊走。端祥！

（端向她奔去，蓀攔住他的路。）

蓀：（簡短地）你滾出去。

（端蹙眉瞪視著他，屹立不動。）

高父：（大聲）攆他出去！

（三個僕人跳上去拉端。端初不抵抗，但一僕掌端頰，端突掙脫。他襤褸的身影忽有威嚴的一刹那，衆人都怔住了。）

端：（向衆人）我走。我走。我早該走了，走得越遠越好。

（湘突然有反應，目光發亮。）

端：可是有一天我會回來的，你們等著瞧，有一天我回到這屋子來，叫你們家破人亡，全都毀在我手裏。（轉身去）

（衆人肅靜一刹那後，七嘴八舌。）

衆人：這傢伙！是個瘋子！神經病！打他嘴巴子！跟他主人算賬！攆他出去！

（湘半坐起望著他的背影，面上現出奇異的神情。）

湘：（興奮地）你走吧，端祥。再會。我等著你。

第六場．高家別墅

（上午。一騾車停在門前，錢大夫自門內出，上車。）

（樓窗中，蘭伏窗口向下望。背後房間內可以看見湘躺在沙發上。）

蘭：（鄙視地）你母親相信這大夫？

湘：我跟弟弟都是錢大夫接生的。

蘭：（望著騾車出園，笑）沒聽見說西醫坐騾車出診。（鏡頭移入室中）

湘：鄉下有許多地方汽車不好走。

蘭：每年夏天到這兒來避暑，都悶死了！今年幸虧有你。

湘：我的腿快好了，得回去了。

蘭：唔……再多住幾天。

湘：怕我媽惦記著。

蘭：無論如何過了後天再走，後天請客不能沒有你。

湘：我這樣子怎麼能見人？（指腿上綳帶）

蘭：（取衣櫥外掛著的一件舞衣覆湘身，長裙連腳都蓋住）哪！誰看得出？

湘：這怎麼行？是你的新衣裳。（但忍不住凝視穿衣鏡中自己的影子）

蘭：借給你穿有什麼要緊。

湘：我又不會跳舞。

蘭：（開留聲機奏舞樂）包你一學就會。叫我哥哥教你。（繞室獨舞）

（湘入迷地望著她的舞姿與自己的鏡中影子。）

第七場：葉家

（夜。蓀、湘乘跑車駛入院門，停下。王開院門後跟入。葉太下階迎。）

葉太：湘容！回來了？

湘：（向蓀）這是我母親。

蓀：伯母。（下車）

葉太：（點頭招呼，轉向湘）怎麼好意思在人家家住那麼些天？

蓀：噯，我們才過意不去，叫葉小姐受驚。（代湘開車門）

葉太：是她自己不好。（阻湘下車）別動，我叫人來攙你。

蓀：（笑）不用攙，她跑得比誰都快。

湘：（下車）媽，我還跳舞來著。

葉太：（笑）跳舞？（見舞衣）你這件衣裳哪兒來的？

湘：高小姐借給我的。（向蓀）進來坐。（蹦跳着奔入屋內）

蓀：等我把車掉個頭。（開倒車，但院內停着一輛載柴草的塌車攔着路。）

葉太：（高叫）端祥！來幫老王挪開這車。

（廳上。湘蹦跳着進來。）

OS葉太：端祥！端祥！

（湘歡樂的神情頓時消失。葉太入。）

湘：（徐徐地）端祥？他在這兒？

葉太：（痛苦而又厭倦地扮了個臉子）昨天剛回來。橫是打算逃跑，也不知上哪兒去了幾天又回來了，問他也不肯說。

（湘露出失望痛苦的神氣）

葉太：端祥！端祥！（出至廚房）

（端自另一門入。端、湘直視，對彼此的裝束都感到刺目、傷心。端比前更襤褸，赤著腳，頭髮更長更亂。）

端：（終於開口，飢餓地，乞憐地）湘容！

湘：（深感失望）端祥！

端：你爲什麼在他們家住那麼些時？

湘：想不到你又回來了。

端：你爲什麼一住住那麼些天？

湘：爲什麼？因爲我玩得痛快，從來沒有那麼高興過。（見蓀入）瞧你這樣子，也不去拾奪拾奪，叫客人看著，連我都難爲情。

（葉太入，見端。）

葉太：端祥！到處找你不到，還不去把大車挪開，擋著高先生的路。

端：讓他自己挪。

蓀：不用了，你們那一位當差的幫我挪開了。

湘：端祥！給高先生道歉。

（端掉頭不顧而去）

葉太：（窘）就是這樣沒規沒矩，陳媽！倒茶！（入廚房）

蓀：湘容。

湘：唔？

蓀：我眞不懂你母親怎麼肯用這麼個野人。

湘：哦？

蓀：叫化子似的，還自以爲了不起，上次咒我們一家子，簡直神經病。

湘：你知道端祥是什麼樣的人？

蓀：（笑，搖手）知道。領教過了。
湘：他跟我從小一塊長大的——
蓀：那是你母親不對。
湘：你憑什麼跑到人家家裏來，這樣不對那樣不對？
蓀：你怎麼了？
湘：你走。給我滾蛋。
（葉太復入，呆住了。女僕托茶盤跟入，也僵立。）
蓀：湘容，你這次嚇着了大概還沒復元，你說些什麼自己知道不知道？
湘：我說你看不慣就給我滾。我恨你！最討厭這種大少爺，什麼都不懂，還瞧不起人。走，走！你這張臉我看見就有氣。
（蓀奇異地望着她，似乎是初次認識她，然後突然轉身走出去。）
葉太：湘容！
湘：你甭管！（突然嗚咽起來）

第八場：巖上

（晨。湘在陽光中向巖石走去。）

（端在巖上望着她來。二人打個招呼。她在他旁邊坐下。沈默半晌後——）

端：要起風了。

湘：這天大概要變。……端祥，你比誰都本事大，你叫這世界站着別動，叫西山永遠這樣，你跟我也永遠這樣。

端：西山跟我是不會變的，你也別改變。

湘：我沒法變，不管我怎麼着，我還是在這兒。

端：（苦笑）噯，我們又都回來了。

湘：你跑哪兒去了？幹什麼來著？

端：（懶懶地拔草，不看著她）我到口外去，到了錦州等車，我整夜想著你，想著我不知多少年見不到你。我知道我辦不到。沒有你我活不下去——透不了氣——你不明白？你不原諒我？

（她溫柔地撫摸著他，四目相視，她自己不明瞭的熱情湧上來充塞她的心。）

湘：（深深吸口氣）端祥，你聞聞這花多麼香。多採點給我，越多越好。

（他忙採大捧的花給她，她抱著花閉著眼睛。）

端：（憂慮地）湘容，你不想山底下那世界了？

湘：（窒息地）別說話，我怕這是個夢。

（他採更多的花堆在她懷中）

第九場：葉家

（湘臥室。葉太助湘燙火鉗捲髮。窗外天色黃昏，飄著雪花。）

湘：媽，快點。

葉太：忙什麼？他來了讓他多等會兒也不礙事，人家脾氣眞好，讓你罵走了還又回來。

湘：（嗤地一笑）不是他寫信來賠禮，我還眞不讓他上門。（以闊緞帶束髮）

葉太：眞是女大十八變，昨天還是個野孩子，今天成了個大小姐。——我去預備點心。

（出）

（湘繼續打扮。門開，端立門口。湘不覺。）

（湘對鏡戴珠項圈，鏡中見端，徐徐轉身。）

湘：（盛怒）端祥，從幾時起你可以到我屋裏來？

端：我有話跟你說。

湘：什麼事？

端：他又上這兒來了。

湘：誰？

端：還有誰？姓高的。

湘：（微笑）你管不著。

端：你爲什麼打扮得這樣？

湘：連我穿衣裳都要你干涉？

端：（逼近）你變了。

湘：我不是小孩子，不能一輩子長不大。

端：（鄙夷地）這就算長大了？（拉她的束髮帶，項圈。項圈斷，珠子滾落，她不禁發出一聲短促無聲的驚呼。）

湘：（頓足）死東西！混蛋！（聞汽車喇叭聲，來不及拾珠。）

端：好，你也跟著他們罵我。

湘：你不配人家待你好。緒蓀說得不錯，你簡直神經病。

端：你幹嗎讓他追求你？就爲了滿足你的虛榮心。

湘：你管不著。機會來了你自己不好好的幹，情願回來受氣。

端：（乞憐地伸手向她）湘容！

湘：頂討厭你像叫化子似的伸手求人。

（端看看自己的手，突然左右開弓猛摑她二下。）

（汽車喇叭聲加劇。端出。）

（端出至廳上正遇葉太迎蓀入。端走過，正眼也不看他。蓀瞪視端。）

葉太：坐，坐。這邊坐。——湘容！（入湘室）

（蓀面色顯憂慮，若有所思。）

（湘盛裝入，蓀忘憂起迎，握著她的手不放，注視她。）

（端入後院一空房，堆著柴，他的板床搭在一邊。他的手似乎麻木。他立在窗前，窗上截糊紙，下截玻璃中看見雪花飛舞。他摑窗二下一如摑湘。玻璃碎，割破手。）

端：姓高的走了沒有？

（廚房，一小時後。葉太獨守茶爐。端入。）

葉太：端祥！你的手怎麼了？

端：（單調地）他走了沒有？

葉太：（揪住他的手看，明白了一半，恐懼起來。）你這孩子——什麼事都幹得出！

端：（苦笑）你別怕，她喜歡姓高的也行，喜歡誰都行，只要她肯原諒我，我死也甘心。

葉太：傻孩子。——別動。（扯布條代包紮兩手）

OS湘：媽！

葉太：（沒包紮完）你別動。（赴門口）他走了？

湘：媽，我有新聞告訴你。

葉太：（顧慮地向廚房內望了望）別到廚房來，小心衣裳弄髒了。（引女坐廳上）

湘：（伸手向火盆）緒蓀跟我求婚。

葉太：你怎麼說？

湘：我說明天給他回話。

葉太：你到底對他怎麼樣？

湘：我當然願意嘍。

葉太：爲什麼？

湘：（笑）爲什麼？怎麼，媽對他不滿意？

葉太：我還有什麼不滿意的。

湘：那你怎麼不高興？

葉太：（沉默片刻）……那麼端祥呢？

湘：（稍有點吃驚地看了她一眼，沒想到她知道。）端祥？他一天比一天下流。我要是嫁給他這輩子就完了。我情願他走了別回來。

（一陣風吹得燭火亂顫。葉太向廚房望著。湘沉默了下來。隔了一會——）

湘：這破家我眞待夠了。緒蓀說接媽一塊住，那倒也好，不用靠弟弟。

葉太：你別只顧我。你自己覺得怎麼樣？緒蓀的脾氣跟你對勁麼？

湘：（搖搖頭，茫然片刻，突然絕望地叫了出來）媽，我眞不知道怎麼辦。

葉太：你還是爲了端祥？

湘：他——這人越來越沒希望。可是媽，我跟他像是一個人。媽，要是全世界都死了，就剩他一個人，我還是活得挺有意思。

（一陣蹄聲）

OS王：端祥！端祥！

葉太：他一定聽見了。

湘：（驚）端祥？聽見我們說話？聽見多少？

葉太：我猜他聽到你說嫁給他這輩子就完了。

（湘奔入廚房，開後門奔入院中。）

（院。湘自內奔出。）

湘：端祥！端祥！

（王來）

王：跑了。把頂好的一匹騾子騎走了。

（葉太跟出）

葉太：湘容，進來，別凍病了。

湘：（恐怖地）端祥！端祥！媽，他不會回來了。

葉太：上次不是回來了？

湘：這次不會，我知道。（向王）往哪邊走的？

（王指。湘奔出院門。）

葉太：湘容！你回來！

第十場：野外

（風雪中，湘形影出沒，跌絆著遙向鏡頭走來，衣破髮亂。）

湘：（聲音被風颳跑了，變爲輕微）端祥！端祥！

（化入巖前。湘顚躓著在雪中覓路來到巖下。）

湘：（立洞口叫）端祥！端祥！

回音：端祥！端祥！

（湘掙扎著上巖）

第十一場：葉家

（院中，王剛回來，牽著騾撣撲身上的雪。葉太與女僕立在廚房門口。）

葉太：（焦急）不行，你再去找去。

王：到處都找過了找不到。

葉太：這可怎麼好？

女僕：少爺又不在家。

葉太：老王，你到錢大夫家送個信，再到高家去，叫他們幫著找。

第十一場·野外

（夜。許多燈籠分散成長列。犬吠聲。數犬出現，就地嗅，又沒入雪中。遙聞人聲——）

呼喚聲：湘容！葉小姐！喂！喂！葉小姐！

（近黎明，雪漸止。自山上下望，一片潔白。錢大夫與蓀在山坡上先後吹滅燈籠。）

錢：不知再往哪兒找去。

蓀：非找到她不可。

呼喚聲：嘜！嘜！這邊！

（四面呼應聲。一犬興奮的吠聲。錢、蓀立即向那方向奔去。背景中一羣人齊向巖石集中。）

第十三場：高家別墅

（天明。衆僕抬湘上階，錢、蓀隨。湘暈了過去，面色死白，頭髮滴水。蘭披晨衣倉皇出迎。）

錢：有白蘭地沒有？

一僕：有有。

（衆抬湘置榻上）

蓀：快生火。

另一僕：噢。

錢：多拿幾條大毛巾來。

蘭：她不要緊吧？

蓀：不知道。還沒醒過來。

蘭：她在哪兒？

蓀：在那塊大石頭上。

（錢接過酒杯，置湘唇邊灌入數滴，轉身放下酒杯。鏡頭移近湘面，她嘴唇翕動發出『端祥』一語。）

第十四場．高家別墅

（春，園中。湘披晨衣臥躺椅上，蘭旁坐織絨線，几上置藥瓶、水瓶、大小玻璃杯。）

（蓀自屋內來）

蘭：看護換班了，我下班了。（起）

蓀：挪到這邊來。大夫叫多曬太陽。（抱湘起）

（蘭移躺椅，整理枕褥。蓀放下湘，蘭復代整衣牽枕蓋毯。）

湘：（向蓀）她眞好。你們都待我那麼好，可是我不能一輩子住在這兒。

蘭：（低聲，半自言自語地）爲什麼不能？

（蓀埋怨地矚蘭一眼，湘佯作不聞。蘭笑去。）

湘：（有點不好意思）我媽呢？

蓀：伯母叫告訴你，她回家去看看，馬上就來。

湘：我眞得回去了。我媽在這兒陪我這些日子，我弟弟索性吃上了白麵。

蓀：誰告訴你的？

湘：（微笑）反正什麼都瞞著我。

蓀：你別著急，我已經打聽到一個戒毒的醫院，出名的。

湘：就怕他不肯去。

蓀：他不去也得去。反正你放心，就管你自己好好的養病。

湘：（感動）緒蓀，你這樣更教我心裏過意不去。

蓀：湘容，你不用說了，我等你一輩子也願意。

（湘握著他的手貼在她頰上。他湊近前來。）

第十五場：結婚禮堂

（湘、蓀婚禮行列出禮堂，紙屑亂飛。蘭作伴娘。婚禮進行曲化入另一鋼琴樂曲——）

第十六場：高家別墅

（五年後一黃昏，燈下蘭彈琴，湘織絨線，葉太坐一旁。壁爐中火光熊熊。）

蘭：（停住，欠伸）我們幾時回北京去？

葉太：鄉下太冷靜，不怪你住不慣。

湘：過天叫緒蓀請客開派對，家裏有小姐是應當多交際，好找對象。

蘭：算了，我是一輩子也找不到對象了。

葉太：你做嫂嫂的該替她留心。

湘：追求她的人多著呢，她挑得太厲害。

（狗叫。葉太側耳聽。）

葉太：有人來了？

湘：這麼晚還有誰來？

葉太：我去瞧瞧。（出）

蘭：（低聲）你弟弟這一向來過沒有？

（湘搖頭，望門外似防母聽見。）

蘭：聽說又打醫院跑出來了？

湘：可不是，眞拿他沒辦法。

蘭：倒沒來要錢？

湘：我不讓我媽見他。給他錢又拿去吸毒。

蘭：你媽怎麼捨得不見他？

湘：我告訴傭人，他來了就說都不在這兒，在北京。

（穿堂。男僕在大門口與外面說話。葉太緊張地走近前來。）

葉太：誰？找誰？

僕：找少奶奶。

（葉太不信，仍擠上來看。僕讓開。）

葉太：（望著神秘的來客略感眼熟）誰呀？

端：（微笑）不認識我了？

葉太：（震動）是你！你回來了！

端：湘容呢？

葉太：（恐慌）你不能見她。

端：（笑）大遠路來的，見不到她就肯走？

（廳上，蘭彈琴。湘向後一靠，審視手中絨線活。葉太入。）

葉太：（低聲）湘容。

湘：（見母面色有異）怎麼了？

葉太：有人找你。

湘：誰？

（沉默中琴聲止，蘭旋身望。）

湘：（恐慌）是誰？

葉太：端祥回來了，要見你。

湘：告訴他——我不在家。

（蓀入）

蓀：告訴誰你不在家？

湘：（力自鎮靜）端祥。（低頭織絨線）據說是回來了。

蓀：（强笑）哦？那倒是新聞。打哪兒回來？

葉太：他說是打東三省來。變得我都不認識他了。

蓀：（强笑）變好了？

葉太：發財了，穿得又講究，氣派也大。

湘：媽就是這樣囉唆，還不叫他走。

蓀：湘容，別這麼著，不能這樣待遠客。我倒要瞧瞧我們這位端爺發了財是個什麼樣子。請他進來。

葉太：（不情願地，一面向外走）老劉，請客人進來！（出）

OS僕：噢。

（湘坐立不安，取火鉗添柴。蓀接過火鉗代添，觸湘手，詫異，以左手撫湘手。）

蓀：你的手怎麼這麼冷？幹嗎這麼緊張？從前的事已經過去了，叫他看看我們多麼幸福。

（湘疑問地望著他，他夷然微笑。她也微笑。蘭裝作不注意翻看著琴譜。）

湘：對了。

（夫婦聞端足聲，轉身。端遙自廣廳另一面走來，舉止從容，顯已向世界挑戰得勝。端站住，瞪視蓀片刻，略一鞠躬。）

蓀：請坐請坐。眞是好久不見了。好啊？

端：（向湘點頭招呼）湘容。

（湘默然望著他）

端：（四顧）我記得這間屋子。

蓀：（讓坐爐邊）這邊坐。我從來沒看見一個人變得這麼厲害，簡直不認識你了。在哪一行得意？

端：談不上得意。

湘：媽說你到關外去的。

端：噯。

湘：我們都奇怪你不知上哪兒去了。

（蘭起，走近前來。）

蓀：你見過我妹妹沒有？

端：（起鞠躬）高小姐。

蓀：（半開玩笑地）在東三省發了財回來了？是開礦還是墾邊？

端：還是走私販毒？（湘變色）告訴你老實話，我是記得我父親是蒙古王子，我母親是滿洲公主，所以去找他們，承繼了一筆財產。（向湘，改用溫暖的口吻，走過去坐在她身邊沙發上）你從前猜得一點也不錯。我現在有八十匹駱駝，五百匹馬，三千隻牛羊。

湘：（聲音微顫）你打算在這兒待多久？

端：待一輩子。

蓀：預備住在北京？

端：噯，就住在西山，我剛買下他們家的房子。（用下頦指了指湘）

湘：啊？

蓀：祖培把房子賣了？怎麼他母親都不知道？

端：他賣了房子大概剛夠還債。

湘：不是我們不替他還債，他欠得多了人家不肯再賒，好逼著他戒毒。

端：他不是小孩了，靠別人逼著他戒有什麼用。

湘：（憤激地）怪不得這兩天沒來——手裏有錢了。

蓀：不得到葉老太太的同意怎麼行？

端：你儘管去打聽，是不是我使壞主意覇佔人家的房子。

蓀：這得找律師。

端：有什麼問題儘管找我說話，現在我們是鄰居了。

蓀：（冷淡地）我們也不大住這兒。

端：（起）對不起，我來得太冒昧。（將行，向湘）我都忘了給你道喜，在關外聽見你結婚的消息。

湘：（截斷他，訣別地）端祥，再見。

（端略一鞠躬，去。衆沉默地看著他出室。）

蘭：哥哥，你這種態度眞太難了。

蓀：（詫）啊？

蘭：嫂嫂你也是的，你們倆都是這樣。

蓀：我不懂你鬧些什麼。

蘭：你至少可以對人家客氣點。

蓀：我沒說錯話。湘容的態度也非常好。

蘭：你拿他當下等人，就這麼攆他走。

蓀：你拿他當上等人？

蘭：我覺得他這人又明白又大方。

蓀：我眞沒想到我有這麼個妹妹。（向湘）以後別讓她見他。

（蘭怒沖沖出。湘一動也不動，强自控制自己。蓀强烈地注意著她。她抬頭望他，不安地四顧。）

湘：媽呢？房子的事得告訴媽。

第十七場：葉家

（廳。培向端求告。王侍立。）

端：你的錢倒已經用光了？

培：還了債還能剩多少？

端：你有闊親戚，幹嗎老是找我？

培：不找你找誰？你住著我的房子。

端：攆他出去。

（王揪住培，培掙脫。）

培：不給不行，今天跟你拚了。（直奔端）

端：（向王）揍他。

王：（向培）少爺，我是沒辦法，吃人家的飯——（打培嘴巴）

培：混賬王八蛋，傻瓜，你當他爲什麼留下你？好報仇呃，你等著瞧！（已被王推出門外，絆著門檻跌下階去。）

（端擲下一鈔票。培拾，去。）

王：（見端予錢）下次又要來了。

端：來了你留下他跟你一屋子住。

王：（困惑）噢。

（新用男僕來）

僕：大爺，有客來。

端：誰？

僕：一位女客。

端：（突然興奮起來）女客？打哪兒來的？

僕：高家別墅。

端：怎麼不早告訴我？（急下階迎）

（端至院中，見蘭。）

端：（失望）哦，是高小姐。

蘭：我太冒昧了。

端：（鎮定下來）不不，請進來坐。

蘭：（囁嚅地）我騎驢子上山來看花，驢子摔了一跤，瘸了，沒辦法——

端：——只好上這兒來。

蘭：可不是。

端：驢子在哪兒？我們瞧瞧。

蘭：（恐慌）不用了，已經牽到你們馬棚去，有人照應著牠。

端：哦。那麼……進來坐。（讓上階）

蘭：（至廳門前立住）那天我眞跟我哥哥嫂嫂生氣，我老實告訴他們，太沒禮貌。

端：（銳利地看她）難道你哥哥叫你來跟我道歉？

蘭：（驚）不是。他——他根本不許……（垂下眼睛）

端：不許你見我？你嫂嫂呢？

蘭：她也……跟你生氣。

端：（親暱地）那麼……我在北京就只有你一個朋友。

蘭：我太幼稚，不配做你的朋友。

端：幹嗎這麼客氣？（突然轉身望院中花樹）今天天氣這麼好，陪你騎騾子上山去走走。

蘭：（窘）我的驢子瘸了。

端：（逼近，她退倚門上無可再退）你的驢子沒瘸。你來看我是因爲你寂寞，家裏就剩你一個人落了單，更覺得寂寞，是不是？

（蘭羞）

第十八場：高家別墅

（廳中舉行盛大舞會，一如昔年窺舞時。湘艷裝與客舞。衆矚目。蘭伴另一青年舞，屢四顧似尋人，心神不屬。）

青年：你嫂嫂今天眞出風頭。

蘭：（漫應）嗳。

青年：樂隊是北京飯店的是不是？我認識那打鼓的。

蘭：哦。

（樂止，衆拍手，散。蘭始見端立長窗前，衣夜禮服。蘭急向他走去。）

（湘撇下舞伴找到蓀）

湘：（用下頦指端，低聲）他怎麼來了？是你請他的？

蓀：不是，是緒蘭。

湘：你不是不叫她見他？

蓀：女孩子們的脾氣，越是禁止她越是賭氣。讓她跟他跳回舞吃頓飯，也就不稀奇了。

（湘注視蘭、端共舞，如不聞。）

蓀：（撫湘臂）不過你還是替我留神著點。

湘：（驚覺）好。

（端跳著舞心神不屬，四顧似尋人。另一青年來敲敲端肩膀。）

蘭：不行，我得跟他跳完這支，他喜歡這音樂。

端：不不，沒關係。（讓給另一青年）

（蘭無奈，在另一青年肩上向他笑。）

（端繼續四顧，找到湘。湘正與一羣人說笑。端走來。）

端：你不跳舞？

湘：累了，歇會兒。

端：出去透口新鮮空氣。

湘：也好。（偕出，倚石欄上）你穿著夜禮服比誰都漂亮，就像我說的那樣。記不記得那天我們偷看他們跳舞？

端：（低氣壓地，微頷）還像那時候就好了。

湘：（輕快地）難道你現在還比不上從前？

端：我現在有什麼好？站在旁邊看別人享受。

湘：得了，別發牢騷了，看西山的月亮多好。

端：（望著熟悉的月景，突然爆發）你怎麼能不記得從前？

湘：（恐懼）端祥，不許你說那些話。

端：你自己心裏的話也不許說？

湘：我心裏什麼話？

端：我聽得清清楚楚。湘容！

湘：我不是從前的湘容了，你難道不明白？我是別人的。

端：（抱住她）他攔不住我，全世界的人也攔不住我。

（湘受不住他目中光，閉目。以下對白短促如喘息。）

湘：不行——

端：我們走。

湘：不行，我不能毀了他，叫他以後怎麼做人。

端：別顧前顧後的——

湘：不能不顧別人——

端：我們呢？我們不是人？

（湘突然旋身奔入廳內，在玻璃門口遇蘭。）

蘭：嫂嫂，你看見端祥麼？（見端）哦，你在這兒。來跳這支。

（端彷彿沒聽見。蘭向他走來。湘在背景中立玻璃門前。）

蘭：你不想跳，情願跟我坐著說話？（見他不言不動）怎麼了？

（端初次看她）

蘭：（笑）是不是湘容又得罪你了？她要不是我嫂嫂，我眞當她是吃醋。

（端異樣地望著她，一個念頭正在他腦中成形。音樂聲中，蘭與他並肩立著望月。）

（化入蓀夫婦在門前送客，一片汽車喇叭聲。）

蓀：再見再見。

湘

客人們：（紛紛地）今天這派對眞好……玩得眞痛快……過天見……你打電話給我……

（化入蘭臥室。蘭哼著今夜樂隊演奏的歌，對鏡刷髮。門開，湘入。蘭表詫異。）

湘：我有話跟你說。

蘭：什麼事？

湘：你今天晚上是怎麼了？你根本不該請端祥，他來了你又拚命釘著他，叫人看著像什麼？

蘭：（怒）你是什麼人，你配管我？叫你聲嫂嫂是抬舉你！（起，走開，湘擋住去路。）

湘：你這傻子，還自以為了不起哪？

蘭：（不屑地）誰理你？（推開她）

湘：我這話非說不可了。告訴你，他是利用你。

蘭：（冷笑）哼！

湘：你難道看不出？

蘭：我眼睛沒瞎。

湘：他利用你好接近我。

蘭：還說我自以爲了不起，你才是自以爲美，當人家永遠忘不了你。他愛我。

湘：（瘋狂地）別胡說。

蘭：他告訴我的。他跟我求婚。

湘：（捉住她兩臂，指甲招入肉內）他什麼？

蘭：（狂喜）他跟我求婚。

湘：我去告訴你哥哥。（一鬆手，氣得幾乎把蘭推倒在地。）

蘭：（故意打擊創口）好，你去告訴他，端祥要做他妹夫了。

湘：（呻吟著）緒蘭，你不能這樣！端祥不是人，是個鬼，回來報仇的。

蘭：（緩緩地）你當我不知道你爲什麼這樣？因爲你愛他。

湘：胡說！你敢！（擲身在蘭身上，打她嘴巴。）

蘭：（冷靜地）一聽見我要嫁給他你就妒忌得發瘋。你要他想你，爲你生相思病，爲你死，你可舒舒服服的做高太太享福。

湘：死丫頭，你再胡說八道——

（敲門聲。二女住口，四目互視，蘭用挑戰的目光。重聞敲門聲。）

蓀：（門開，蓀立門口向二女逐一看去，略感困惑。）我聽見你們聲音。

蘭：（控制喉音）我們在——在講剛才的派對。（惡意地微笑）

蓀：（將疑心丟開一邊）湘容，去睡吧，你累了。（扶湘出）

（蘭微笑看二人偕出）

第十九場：葉家

（化入廳。晨。湘立室中四顧亂七八糟，久不打掃。王送茶入。）

王：姑太太請坐。端祥馬上就來。

（端入。王見端即作畏懼狀。）

端：（諷刺地）湘容，你怎麼會上這兒來了？緒蓀知道嗎？橫是不贊成？

湘：端祥，是眞的麼？

（王急出）

端：什麼是眞的？

湘：你要跟緒蘭結婚？（等了半天不得回答）哦，是眞的。（絕望地）端祥，你不能害了她一輩子，她並沒對不起你。

端：（冷峻地）是你對不起我。

湘：那你儘管罰我。

端：所以我要跟她結婚。

湘：（不能相信）就爲了叫我受痛苦？

端：噯，叫你也嘗嘗受苦的滋味。

湘：端祥……你要是還有點人心，你別這麼著。

端：（安靜地，熱情地）你要是還有點人心，你不能可憐可憐我？不，你講究道德，品行，你虐待我，毀了我還算你有道德。（緊緊抱住她）

湘：（掙扎）你讓我走。

端：（獰笑）好，從此以後我是緒蘭的男人，我幸福你也該替我高興，你幸福我不也替你高興？

（湘奔出）

第二十場：高家別墅

（廳。夜。蓀激動地踱來踱去。湘不安地望著他。）

蓀：（不能相信）結婚！我妹妹跟那騙子！

湘：你拿她怎麼著？就是她父母在世也沒辦法。

蓀：就是非得把她鎖在家裏也得攔著她。（大步上樓）緒蘭！（無人應。提高聲音）緒蘭！

（湘立梯下，面露驚慌。樓上繼續寂靜。湘自驚慌變爲恐怖。）

（蓀下樓，持一紙授湘。她幾乎接不住。是一封潦草的短信，只看見『哥哥』二字。）

蓀：她不是我妹妹了，我只當她死了。

湘：（瘋狂地）你非去不可！不行，不能讓他們結婚！

（蓀詫望湘，走近一步瞪視她的臉，漸明白她的心理。）

第二十一場：葉家

（廳。比前更汚穢零亂。蘭無聊地坐著佯作看書。她形容憔悴，蓬頭敝衣，與前判若兩人。）

（端立窗前出神。培在他身旁求告。）

端：沒有沒有。告訴你沒有。

培：（頻頻咳嗽、眨眼，眼皮濛濛地闔下來）得了，給三十塊。

端：你那麼大癮，我供給不起你。

培：你是誠心，看我癮發了受罪，你樂。

端：誰有那麼大工夫看你？（自燃香煙吸）

培：你給不給？（突拔出小刀）給不給？

（蘭無聲地驚呼）

端：（微笑）好，你殺我。殺了我算你有種。（培手抖）記不記得小時候叫老王打我？你那時候就沒出息，現在也還是沒出息。

（小刀噹啷落地。端笑，入另室。蘭將跟入，轉身向培。）

蘭：不怪你自己家裏人都不理你，這樣不識好歹！

培：你！他恨你比恨我還厲害。他一跟你親熱就更恨你不是湘容。

（蘭刺激）

培：（拾刀）我是沒力氣，你爲什麼不殺他？

蘭：你瘋了？

培：（瞪眼望著她，輕聲）去殺他。

蘭：（恐怖地）少胡說。（急入）

（另室。端坐吸烟。蘭入。）

蘭：端祥，你爲什麼讓他住在這兒？有他在這屋裏我簡直受不了。

端：受不了就回家去。

蘭：我除了這兒沒有家。誰要跟他們來往？

端：你不想家？

蘭：你想湘容是眞的。

（端別過臉去不理她。她跟到那邊去拉他的手，他厭惡地推開她。）

蘭：你別老是這樣。（跪在他旁邊）其實我知道，你並不是像他們講的那樣可怕，你是受痛苦受多了。我可以安慰你，我情願做你的奴隸。

（他拉她起來同坐一椅，她抱著他，臉對臉。）

端：爲什麼你眼睛跟你哥哥一樣，一點感情也沒有。

蘭：（絕望地）有的，有的，你不好好的看。你看，我是個女人，長得不醜，對你是眞心。

（端掩面，突然起立，使蘭跌倒在地，他看也不看，自另一門出。）

（蘭哭。王自廳入。蘭立起來，竭力止住嗚咽。）

王：（鬼鬼祟祟地）葉老太太來了。

蘭：來幹什麼？

王：來看兒子。

蘭：叫她領回去最好。（急出視）

（廳。葉太拉著培拭淚。蘭入。）

葉太：（向蘭）天哪，怎麼瘦得這樣！
蘭：就是呀，還是得伯母管他，好好的調養調養。
葉太：（初次注視蘭）緒蘭，你也瘦了。
蘭：（自漸形穢）我這樣子可見不了人。
葉太：他怎麼咳嗽咳得這麼厲害？
培：是癮發了，媽還不救救我？
葉太：上次醫院裏大夫就說不能再吃了，你心臟受不了。
培：先給我過了癮，明天一定去戒。
葉太：不是媽不給你錢，再吃下去要送命的。
（培將開口，一陣狂咳！咳得暫時盲目。）
葉太：（恐慌，拍他的背，摟著哭。）我是造了什麼孽，就生他們姊妹倆，會都——祖培，你姊姊病得要死了，你還不去看看她？
蘭：啊？——沒聽說她病了。
培：是什麼病？
葉太：（哽咽著）肺炎。這回大概好不了了。
蘭：（自言自語）她死了我許還可以活下去。
葉太：（又驚又怒）緒蘭！

端：（培先看見端立在門口。二婦跟著他的眼光望過去，發現端。）

蘭：（向自己）湘容！湘容快要死了。——（突轉身向外走）

葉太：（追上去）端祥，上哪兒去？你不能去看她。端祥！（拉他，他打她。）

（也追上去，但不敢近身。）端祥，你去算什麼？不行！別去！

（端已奔下階）

第二十二場：高家別墅

（湘臥室。湘臥床上，蓀守著她。）

湘：（稚氣地）給我開窗戶。

蓀：別著了涼。（閒閒地，掩飾憂慮）你為什麼一定不肯上醫院去？

湘：我不去！——叫你開窗戶。

（蓀不得已開一扇窗）

湘：（迫切地嗅清新的空氣）今天是南風是不是？

蓀：嗳。

湘：緒蓀，你去給我弄樣東西來。

蓀：什麼東西？

湘：你到王府去給我採花。

蓀：什麼王府？

湘：（不耐煩）山上的王府。

蓀：（强笑）你發熱說胡話——山上沒有王府。

湘：（大聲）有，怎麼沒有。（坐起）就在我家後邊。

蓀：哦，就是那塊大石頭。

湘：對了對了，快去。（他扶她睡下，她推他走。）

蓀：（不安地）你爲什麼叫它王府？

湘：因爲——我從前在那兒做過王妃。你去不去？去給我採花。

蓀：你要是肯睡會兒我就去，睡會兒明天就好多了。

湘：快去。

（他代她掖被，出室。）

（廳。蓀狂奔下樓梯。一僕聞聲出現。）

蓀：（慌張地）錢大夫呢？

第二十三場：野外

（端騎騾疾馳，騾汗下。）

第二十四場：高家別墅

（端馳至園門，勒騾，滾下鞍，奔入園，打門。僕開門。）

端：她在哪兒？你們少奶奶呢？

僕：少奶奶病著呢！少爺剛去請大夫。

（端推開僕奔上樓梯）

僕：端爺！端爺！

（端不顧，上樓。）

（湘臥室。空氣極寧靜。湘閉目臥。門徐徐開，端立門口瞪視她。她終於開目轉面向他，無表情地凝視片刻，闔目嘆息。少頃又開目，仍看見他。）

湘：（輕聲）是眞是你，我當是做夢。

端：（輕聲）湘容。

湘：我正在盼望著我死以前你會來。

（端聞言刺心，走到床前，湘抬身，二人擁抱著不放。她的手抓著他的肩、頭、臉。他跪在床邊哭，她抓著他頭髮逼他抬起頭來。）

湘：你別——別放我走。

端：湘容！

湘：我害怕。端祥，我不願意死。

端：你別說死的話。

湘：我摸摸你的胳膊。你身體多好。端祥，我死了你打算再活多少年？

端：湘容，你是我的命。

湘：（吻他頭髮）將來有一天你會不會忘了我？人已經死了多少年，過去的事已經過去了。

端：（哽咽，聲音硬化）你要是死了……我也完了。

湘：（痙攣地緊緊抱著他）要是能永遠抱著你，等我們都死了多好。

端：你當初為什麼不等著我？都是你自己！

湘：別說了，端祥，我受不了。

端：你受不了活該。你愛我的，為什麼把我們的感情就這麼扔了？

湘：（苦痛地）我後來明白過來了。你原諒我。

端：（吻她）你殺了我沒關係，殺了你自己可怎麼叫我原諒你？

（葉太入。培隨，恐懼地立在門口。）

葉太：端祥！還不快走，他回來了。

湘：（恐慌地抓緊他）別走。

端：我不走，湘容。

湘：你不能走。（目光漸散）

端：我在這兒。我再也不離開你了。

（培在門外守望）

湘：（稚氣地）媽，那回他走了，我不是告訴你，我跟他是一個人。

葉太：別聽她說胡話。

湘：是眞的，是眞的！我是他的，從來沒屬於別人。

葉太：你信她胡說！快走！

湘：（指窗）端祥，扶我去看看山上。

端：噢。（抱起攙至窗前）

湘：今天天氣多麼好。

培：（急入門）來了來了！上來了！

湘：端祥，你看見我們的王府？那邊。我在那兒等你。（突委頓，變僵硬）

（端繼續立在窗前抱著她，風吹著她的衣服。）

（蓀偕錢入，見狀變色。錢上前把脈。）

錢：我們來晚了。

葉太：湘容！湘容！（拉著培大哭起來）你姊姊沒有了！

錢：抬她上床去。

端：（不動）她是我的。

蓀：（扳湘看她的臉）湘容！

端：你走開，現在她是我的了。（抱湘置床上）

葉太：（哭喊）端祥，你還不走？造的孽還不夠？

蓀：算了，人已經死了。

（葉太哭泣著的臉化入她十餘年後的臉——）

第二十五場：葉家

（葉太與客擁火盆坐。故事剛講完。）

客：後來呢？你沒跟女婿住？

葉太：（微吁）他當然心裏不痛快。我無依無靠，到了兒還是上這兒來。

（沉默片刻。風聲呼呼中，忽聞打門聲。門開，蒼老的錢醫生遍身雪花立在門口。葉太驚異地起迎。）

葉太：錢大夫，這個天你還出去？

錢：到劉莊去接生。

葉太：進來坐。

錢：我問你，端祥是不是完全瘋了？

葉太：怎麼？（恐懼地望望內室似怕他聽見）

錢：我看見他帶著個女人在雪地裏亂跑。

葉太：女人？

錢：彷彿是個年輕的女人。兩人手攙手親熱著呢。

（客自醫面望到葉太面龐。葉太向他微頷。）

錢：我先還當他們迷了路，（蘭自陰影中出現，王立蘭身後）叫他就像是沒聽見，叫趕車的趕到他們跟前，騾子忽然嚇跑了，車都砸壞了。

蘭：（遲鈍地）你看見他跟她在一起。

錢：不知是什麼女人。

蘭：湘容。

錢：你這是什麼話？

蘭：他半夜裏出去了。湘容把他叫出去了。
王：（磔磔笑）冤鬼來討命。
錢：（向葉太、蘭）得去找他去。這雪好深。
蘭：（哀鳴）找他？往哪兒去找？
葉太：我知道。……他準在那兒。

第二十六場：山上

（客、錢、葉太、蘭、王一行人冒雪循足跡向巖石走去，王打燈籠，錢持電筒掃射。）
客：這是他的腳印？那女人的呢？
錢：（喃喃地，半自言自語）奇怪，我明明看見有個女人。
（電筒驚起二鳥噗喇喇飛上巖去。鏡頭迅速地跟上去，赫然發現端躺在巖上，已凍死。音樂轟然加響，轉入湘昔所唱歌。鏡頭上移，見二鳥在巖上盤旋片刻，向天空中雙雙飛去。）

《劇終》

五四遺事

【羅文濤三美團圓】

小船上，兩個男子兩個女郎對坐在淡藍布荷葉邊平頂船篷下。膝前一張矮桌，每人面前一隻茶杯，一撮瓜子，一大堆菱角殼。他們正在吃菱角，一隻隻如同深紫紅色的嘴唇包著白牙。

『密斯周今天好時髦！』男子中的一個說。稱未嫁的女子爲『密斯』也是時髦。

密斯周從她新配的眼鏡後面狠狠的白了他一眼，扔了一隻菱角殼打他。她戴的是圓形黑框平光眼鏡，因爲眼睛並不近視。這是一九二四年，眼鏡正入時。交際明星戴眼鏡，新嫁娘戴藍眼鏡，連鹹肉莊上的妓女都戴眼鏡，冒充女學生。

兩個男子各自和女友並坐，原因只是這樣坐著重量比較平均。難得說句笑話，打趣的對象也永遠是朋友的愛人。

兩個女郎年紀約在二十左右，在當時的女校高材生裏要算是年輕的了。那時候的前進婦女正是紛紛的大批湧進初小、高小。密斯周的活潑豪放，是大家都佩服的，認爲能夠代表新女性。密斯范則是靜物的美。她含著微笑坐在那裏，從來很少開口，窄窄的微尖的鵝蛋臉，前劉海齊眉毛，挽著兩隻圓髻，一邊一個。薄施脂粉，一條黑華絲葛裙子繫得高高的，細腰喇叭袖黑水鑽狗牙邊雪青綢夾襖，脖子上圍著一條白絲巾。周身毫無插戴，只腕上一隻金錶，襟上一支金自來水筆。西湖在過去一千年來，一直是名士美人流連之所，重重疊疊的回憶太多了。遊湖的女人即使穿的是最新式的服裝，映在那湖光山色上，也有一種時空不諧調的突兀之感，彷彿是屬於另一個時代的。

湖水看上去厚沉沉的，略有點污濁，卻彷彿有一種氤氳不散的脂粉香，是前朝名妓的洗臉水。

兩個青年男子中，身材較瘦長的一個姓羅，長長的臉，一件湖色熟羅長衫在他身上掛下來，自有一種飄然的姿致。他和這姓郭的朋友同在沿湖一個中學裏教書，都是以教書爲藉口，藉此可以住在杭州。擔任的鐘點不多，花晨月夕，儘可以在湖上盤桓。兩人志同道合，又都對新詩感到興趣，曾經合印過一本詩集，因此常常用半開玩笑的口吻自稱『湖上詩人』，以威治威斯與柯列利治自況。

密斯周原是郭君的遠房表妹，到杭州進學校，家裏託郭君照顧她，郭請她吃飯、遊湖，她把同學密斯范也帶了來，有兩次郭也邀了羅一同去，大家因此認識了。自此幾乎天天見面。混得熟了，兩位密斯也常常聯袂到宿舍來找他們，然後照例帶著新出版的書刊去遊湖，在外面吃飯，晚上如果月亮好，還要遊夜湖。划到幽寂的地方，不拘羅或是郭打開書來，在月下朗誦雪萊的詩。

聽到迴腸盪氣之處，密斯周便緊緊握住密斯范的手。

他們永遠是四個人，有時候再加上一對，成爲六個人，但是從來沒有兩個人在一起。這樣來往著已經快一年了。郭與羅都是結了婚的人——這是當時一般男子的通病。差不多人人都是還沒聽到過『戀愛』這名詞，早就已經結婚生子。郭與羅與兩個女友之間，只能發乎情止乎禮，然而也並不因此感到苦悶。兩人常在背後討論得津津有味，兩個異性的一言一笑，都成爲他們互相取笑的材料。此外又根據她們來信的筆觸，研究她們倆的個性——雖然天天見面，他們仍舊時常通信，但僅只是落落大方的友誼信，不能稱作情書。——他們從書法與措辭上可以看出密斯周的豪爽，密斯范的幽嫻，久已分析得無微不至，不可能再有新發現，然而仍舊孜孜地互相傳觀、品題，對朋友的愛人不吝加以讚美，私下裏卻慶幸自己的一個更勝一籌。這一類的談話他們永不感到厭倦。在當時的中國，戀愛完全是一種新的經驗，僅只這一點點已經很夠味了。

小船駛入一片荷葉，灑黃點子的大綠碟子磨著船舷嗤嗤響著。隨即寂靜了下來。船夫與他的小女兒倚在槳上一動也不動，由著船隻自己漂流。偶爾聽見那湖水噶的一響，彷彿嘴裏含著一塊糖。

『這禮拜六回去不回去？』密斯范問。

『這次大概賴不掉，』羅微笑著回答。『再不回去我母親要鬧了。』

她微笑。他儘管推在母親身上，事實依舊是回到妻子身邊。

近來羅每次回家，總是越來越覺得對不起密斯范。回去之前，回來之後，密斯范的不愉快也漸漸地表示得更明顯。

這一天她僅只問了這樣一聲，已經給了他很深的刺激。船到了平湖秋月，密斯周上岸去買藕粉，郭陪了她去，羅與密斯范倚在朱漆欄杆邊等著，兩人一直默然。

『我下了個決心。』羅突然望著她低聲說。然後，看她並沒有問他是什麼決心，他便又說，『密斯范，你肯不肯答應我？也許要好些年。』

她低下了頭，扭過身去，兩手捲弄著左邊的衣角。

當天她並沒有吐口同意他離婚。但是那天晚上他們四個人在樓外樓吃飯，羅已經感到這可以說是他們的定情之夕，同時覺得他已經獻身於一種奮鬥。那天晚上喝的酒，滋味也異樣，像是寒夜遠行人上路之前的最後一杯酒。

樓外樓的名稱雖然詩意很濃，三面臨湖，風景也確是好，那菜館本身卻是毫不講究外表，簡陋的窗框，油膩膩的舊家具，堂倌向樓下廚房裏曼聲高唱著菜名。一盤搶蝦上的大玻璃罩揭開之後，有兩隻蝦跳到桌上，在醬油碟裏跳出跳進，終於落到密斯范身上，將她那淺色的襖上淋淋漓漓染上一行醬油跡。密斯周尖聲叫了起來。在昏黃的燈光下，密斯范紅著臉很快樂的樣子，似乎毫不介意。

羅直到下一個星期六方才回家。那是離杭州不遠的一個村莊，連乘火車帶獨輪車不到兩個鐘頭。一到家，他母親大聲宣佈蠲免媳婦當天的各項任務，因爲她丈夫回來了，媳婦反而覺得不好意思。她大概因為不確定他回來不回來，所以在綢夾襖上罩上一件藍布短衫，隱隱露出裏面的大紅緞子滾邊。

這天晚上他向她開口提出離婚。她哭了一夜。那情形的不可忍受，簡直彷彿是一個法官與他判處死刑的罪犯同睡在一張床上。不論他怎樣為自己辯護，他知道他是判她終身守寡，而且是不名譽的守寡。

『我犯了七出之條哪一條？』她一面憤怒地抽噎著，一面儘釘著他問。

第二天，他母親知道了，大發脾氣，不許再提這話。羅回到杭州，從此不再回家。他母親託他舅舅到杭州來找他，百般勸說曉喻。他也設法請一個堂兄下鄉去代他向家裏疏通。託親戚辦交涉，向來是躭誤時候，而且親戚代人傳話，只能傳好話，決裂的話由他們轉達是靠不住的。因為大家都以和事佬自居，尤其事關婚姻。拆散人家婚姻是傷陰隲損陽壽的。

羅請律師寫了封措辭嚴厲的信給他妻子。家裏只是置之不理，他妻子娘家人卻氣得揎拳捋臂，說：『他們羅家太欺負人。當我們張家人都死光了？』恨不得興師動衆打到羅家，把房子也拆了，那沒良心的小鬼即使不在家，也把老太婆拖出來打個半死。只等他家姑奶奶在羅家門框上一索子吊死了，就好動手替她復仇。但是這事究竟各人自己主張，未便催促。

鄉下一時議論紛紛，都當作新聞來講。羅家的族長看不過去，也說了話：『除非他一輩子躲著不回來，只要一踏進村口，馬上綁起來，去祠堂去請出家法來，結結實實打這畜生。鬧得太不像話！』

羅與密斯范仍舊天天見面，見面總是四個人在一起。郭與密斯周十分佩服他們不顧一切的勇氣，不斷的鼓勵他們，替他們感到興奮。事實是相形之下，使郭非常爲難。儘管密斯周並沒有明言抱怨，卻也使他夠難堪的。到現在爲止，彼此的感情裏有一種哀愁，也正是這哀愁使他們那微妙的關係更爲美麗。但是現在這樣看來，這似乎並不是人力無法挽回的。

羅在兩年內只回去過一次。他母親病了，風急火急把他叫了回去。他一看病勢並不像說的那麼嚴重，心裏早已明白了，只表示欣慰。他母親乘機勸了他許多話，他卻淡淡的不接口。也不理睬在旁邊送湯送藥的妻子。夜裏睡在書房裏，他妻子忽然推門進來，插金戴銀，穿著吃喜酒的衣服，仿照寶蟾送酒給他送了點心來。

兩人說不了兩句話便吵了起來。他妻子說：『不是你媽媽迫著我來，我眞不來了——又是罵，又是對我哭。』

她賭氣走了。羅也賭氣第二天一早就回杭州，一去又是兩年。

他母親想念兒子，漸漸的不免有點後悔。這一年她是整生日，羅被舅父勸著，勉強回來拜壽。這一次見面，他母親並沒有設法替兒子媳婦撮合，反而有意將媳婦支開了，免得兒子覺得窘。媳婦雖然抱怨婆婆上次迫她到書房去，白受一場羞辱。現在她隔離他們，她心裏卻又怨懟，而且疑心婆婆已經改變初衷，倒到那一面去了。這幾年家裏就只有婆媳二人，各人心裏都不是滋味。心境一壞，日常的摩擦自然增多，不知不覺間，漸漸把仇恨都結在對方身上。老太太那方面，認定了媳婦是盼她死——給公婆披過麻戴過孝的媳婦是永遠無法休回娘家的。老太太發誓說她偏不死，先要媳婦直著出去，她才肯橫著出去。

外表上看來，離婚的交涉辦了六年之久，仍舊僵持不下。密斯范家裏始終不贊成。現在他們一天到晚提醒她，二十六歲的老姑娘，一眨眼，望三十了，給人做塡房都沒人要。羅一味拖延，看來是不懷好意，等到將來沒人要的時候，只好跟他做小。究竟他是否在進行離婚，也很可疑，不能信他一面之詞。也可能癥結是他拿不出贍養費。打聽下來，有人說羅家根本沒有錢。家鄉那點產業捏在他妻子手裏，也早靠不住了。他在杭州教書，爲了離婚事件，校長對他頗有點意見，搞得很不愉快。倘若他並不靠教書維持生活，那麼爲什麼不辭職？

密斯周背地裏告訴郭，說有人給密斯范做媒，對象是一個開當舖的，相親那天，在番菜館同吃過一頓飯。她再三叮囑郭君守秘密，不許告訴羅。

郭非常替羅不平，結果還是告訴了他。但是當然加上了一句，『這都是她家裏人幹的事。』

『是把她綑了起來送到飯館子去的，還是她自己走進去的？』羅冷笑著說。

『待會兒見面的時候可千萬別提，拆穿了大家不好意思，連密斯周也得怪我多嘴。』

羅答應了他。

但是這天晚上羅多喝了幾杯，恰巧又是在樓外樓吃飯，勾起許多回憶。在席上，羅突然舉起酒杯大聲向密斯范說：『密斯范，恭喜你，聽說要請我們吃喜酒了！』

郭在旁邊竭力打岔，羅倒越發站了起來嚷著，『恭喜恭喜，敬你一杯！』他自己一仰脖子喝了，推開椅子就走，三腳兩步已經下了樓。

郭與密斯周面面相覷，郭窘在那裏不得下台，只得連聲說：『他醉了。我倒有點不放心，去瞧瞧去。』跟著也下了樓，追上去勸解。

第二天密斯范沒有來。她生了氣。羅寫了信去也都退了回來。一星期後，密斯周又來報告，說密斯范又和當鋪老闆出去吃過一次大菜。這次一切都議妥，男方給置了一隻大鑽戒作爲訂婚戒指。

羅的離婚已經醞釀得相當成熟，女方漸漸有了願意談判的跡象。如果這時候忽然打退堂鼓，重又回到妻子身邊，勢必成爲終身的笑柄。因此他仍舊繼續進行，按照他的諾言給了他妻子一筆很可觀的贍養費，協議離婚。然後他立刻叫了媒婆來，到本城的染坊王家去說親。王家的大女兒的美貌是出名的，見過的人無不推爲全城第一。

交換照片之後，王家調查了男方的家世。媒婆極力吹噓，竟然給她說成了這頭親事。羅把田產賣去一大部份，給王家的小姐買了一隻鑽戒，比傳聞中的密斯范的那隻鑽戒還要大。不到三個月，就把王小姐娶了過來。

密斯范的婚事不知爲什麼沒有成功。也許那當鋪老闆到底還是不大信任新女性，又聽見說密斯范曾經有過男友，而且關係匪淺。據范家這邊說，是因爲他們發現當鋪老闆少報了幾歲年紀。根據有些輕嘴薄舌的人說，則是事實恰巧相反——少報年紀是有的。

羅與密斯范同住在一個城市裏，照理遲早總有一天會在無意中遇見。他們的朋友們卻不肯聽其自然發展。不知爲什麼，他們覺得這兩個人無論如何得要再見一面。他們並不是替羅打抱不平，希望他有機會飽嘗復仇的甜味，他們並不贊成他的草草結婚，爲了向她報復而犧牲了自己的理想。

也許他們正是要他覺悟過來，自己知道鑄成大錯而感到後悔。但也許最近情理的解釋還是他們的美感：他們僅只是覺得這兩個人再在湖上的月光中重逢，那是悲哀而美麗的，因此就是一樁好事，不能不作成他們。

一切都安排好了，只瞞著他們倆。有一天郭陪著羅去遊夜湖——密斯周已經結了婚，不和他們來往了。另一隻船上有人向他們叫喊。是他們熟識的一對夫婦。那隻船上還有密斯范。

兩船相並，郭跨到那隻船上去，招呼著羅也一同過去。羅發現他自己正在密斯范對面。玻璃杯裏的茶微微發光，每一杯的水面都是一個銀色圓片，隨著船身的晃動輕輕的搖擺著。她的臉與白衣的肩膀被月光鍍上一道藍邊。人事的變化這樣多，而她竟和從前一模一樣，一點也沒有改變，這使他無論如何想不明白，心裏只覺得恍惚。

他們若無其事的寒暄了一番，但是始終沒有直接交談過一句話。也沒有人提起羅最近結婚的事。大家談論著政府主辦的西湖博覽會，一致反對那屹立湖濱引人注目的醜陋的紀念塔。

『俗不可耐。完全破壞了這一帶的風景，』羅嘆息著。『反正從前那種情調，以後再也沒有了。』

他的眼睛遇到她的眼睛，眼光微微顫動了一下，望到別處去了。

他們在湖上兜了個圈子，在西冷印社上岸，各自乘黃包車回去。第二天羅收到一封信，一看就知道是密斯范的筆跡。他的心狂跳著，撕開了信封，抽出一張白紙，一個字也沒有。他立刻明白了她的意思。她想寫信給他，但事到如今，還有什麼話可說？

他們舊情復燃的消息瞞不了人，不久大家都知道了。羅兩度進行離婚。這次同情他的人很少。以前將他當作一個開路先鋒，現在卻成了個玩弄女性的壞蛋。

這次離婚又是長期奮鬥。密斯范呢，也在奮鬥。她鬥爭的對象是歲月的侵蝕，是男子喜新厭舊的天性。而且她是孤軍奮鬥，並沒有人站在她身旁予以鼓勵，像她站在羅的身邊一樣。因爲她的戰鬥根本是秘密的，結果若是成功，也要使人渾然不覺，絕不能露出努力的痕跡。她仍舊保持著秀麗的面貌。她的髮式與服裝都經過縝密的研究，是流行的式樣與回憶之間的微妙的妥協。他永遠不要她改變，要她和最初相識的時候一模一樣。然而男子的心理是矛盾的，如果有一天他突然發覺她變成老式、落伍，他也會感到驚異與悲哀，她迎合他的每一種心境，而並非一味地千依百順。他送給她的書，她無不從頭至尾閱讀。她崇拜雪萊，十年如一日。

王家堅決地反對離婚，和平解決辦不到，最後還是不能不對簿公庭。打官司需要花錢，法官越是好說話，花的錢就更多。前後費了五年的工夫，傾家蕩產，總算官司打贏，判了離婚。手邊雖然窘，他還是在湖邊造了一所小白房子，完全按照他和密斯范計畫着的格式，坐落在他們久已揀定了的最理想的地點，在幽靜的裏湖。鄉下的房子，自從他母親故世以後，已經一部份出租，一部份空關着。新房子依着碧綠的山坡，向湖心斜倚着，踩着高蹺站在水裏，牆上爬滿了深紅的薔薇，紫色的藤蘿花，絲絲縷縷倒掛在月洞窗前。

新婚夫婦照例到親戚家裏挨家拜訪，親戚照例留他們吃飯、打麻將。羅知道她是不愛打麻將的。偶爾敷衍一次，是她賢慧，但是似乎不必再約上明天原班人馬再來八圈。她告訴他她是不好意思拒絕，人家笑她恩愛夫妻一刻都離不開。

她抱怨他們住得太遠。出去打牌回來得晚了，叫不到黃包車，車夫不願深更半夜到那冷僻的地方去，回來的時候兜不到生意，輪到她還請，因爲客人回去不方便，只好打通宵，羅又嫌吵鬧。

沒有牌局的時候，她在家裏成天躺在床上嗑瓜子，衣服也懶得換，污舊的長衫，袖叉撕裂了也不補，紐絆破了就用一根別針別上。出去的時候穿的仍舊是做新娘子時候的衣服，大紅大綠，反而更加襯出面容的黃瘦。羅覺得她簡直變了個人。

他婉轉地勸她注意衣飾，技巧地從誇讚她以前的淡裝入手。她起初不理會，說得次數多了，她發起脾氣來，說：『婆婆媽媽的，專門管女人的閒事，怪不得人家說，這樣的男人最沒出息。』

羅在朋友面前還要顧面子。但是他們三天兩天吵架的消息恐怕還是傳揚了出去，因爲有一天一個親戚向他提起王小姐來，彷彿無意中閒談，說起王小姐還沒有嫁。『其實你為什麼不接她回來？』

羅苦笑着搖搖頭。當然羅也知道王家雖然恨他薄倖，而且打了這些年的官司，冤仇結得海樣深，但是他們究竟寧願女兒從一而終，反正總比再嫁强。

只要羅露出口風來，自有熱心的親戚出面代他奔走撮合。等到風聲吹到他那范氏太太的耳朵裏，一切早已商議妥當。家裏太太雖然哭鬧着聲稱要自殺，王家護送他們小姐回羅家那一天，還是由她出面招待。那天沒有請客，就是自己家裏幾個人，非正式的慶祝了一下。她稱王小姐的兄嫂為『大哥』、『嫂子』，謙說飯菜不好：『住得太遠，買菜不方便，也僱不到好廚子。房子又小，不夠住，不然我早勸他把你們小姐接回來了。當然該回來，總不能一輩子住在娘家。』

王小姐像新娘子一樣矜持着，沒有開口。她兄嫂卻十分客氣，極力敷衍。事先王家曾經提出條件，不分大小，也沒有稱呼，因為王小姐年幼，姊妹相稱是她吃虧。只有在背後互相稱為『范家的』、『王家的』。

此後不久，就有一個羅家的長輩向羅說，『既然把王家的接回來了，你第一個太太為什麼不接回來？讓人家說你不公平？』

羅也想不出反對的理由。他下鄉到她娘家把她接了出來，也搬進湖邊那蓋滿了薔薇花的小白房子裏。

他這兩位離了婚的夫人都比他有錢，因為離婚的時候拿了他一大筆贍養費。但是她們從來不肯幫他一個大子，儘管他非常拮据，憑空添出許多負擔，需要養活三個女人與她們的傭僕，後來還有她們各人的孩子、孩子的奶媽。他回想自己當初對待她們的情形，覺得也不能十分怪她們。只是『范家的』不斷在旁邊冷嘲熱諷，說她們一點也不顧他的死活，使他不免感到難堪。

現在他總算熬出頭了，人們對於離婚的態度已經改變，種種非議與嘲笑也都已經冷了下來。反而有許多人羨慕他稀有的艷福。這已經是一九三六年了，至少在名義上是個一夫一妻的社會，而他擁有三位嬌妻在湖上偕隱。難得有兩次他向朋友訴苦，朋友總是將他取笑一番說，『至少你們不用另外找搭子，關起門來就是一桌麻將。』

五四遺事【英譯】

STALE MATES

A Short Story Set the in Time When Love Came to China

Two men and two girls in a boat sat facing each other on wicker seats under the flat blue awning. Cups of tea stood on the low table between them. They were eating ling, water chestnuts about the size and shape of a Cupid's-bow mouth. The shells were dark purplish red and the kernels white.

"Missu Chou is very stylish today," one of the men said. It was also stylish to address girls as "Miss."

Miss Chou glared at him through her new spectacles and threw a ling shell at him. Her glasses had round black rims and perfectly flat lenses, as she was not near-

小船上，兩個男子兩個女郎對坐在淡藍布荷葉邊平頂船篷下。膝前一張矮桌，每人面前一隻茶杯，一撮瓜子，一大堆菱角殼。他們正在吃菱角，一隻隻如同深紫紅色的嘴唇包著白牙。

『密斯周今天好時髦！』男子中的一個說。稱未嫁的女子爲『密斯』也是時髦。

密斯周從她新配的眼鏡後面狠狠的白了他一眼，扔了一隻菱角殼打他。她戴的是圓形黑框平光眼鏡，因爲眼睛並不近視。這是一九二四年，眼鏡正入時。交際明星戴眼鏡，新嫁娘戴藍眼鏡，連鹹肉莊上的

sighted. The year was 1924, when eyeglasses were fashionable. Society girls wore them. Even streetwalkers affected glasses in order to look like girl students.

Each of the men sat with his own girl because the little boat balanced better this way than if the two girls sat side by side. The pale green water looked thick and just a little scummy, and yet had a suggestion of lingering fragrance like a basin of water in which a famous courtesan had washed her painted face.

The girls were around twenty–young for high school in those days when progressive women of all ages flocked to the primary schools. Miss Chou was much admired for her vivacity and boldness as being typical of the New Woman, while Miss Fan's was the beauty of a still life. She sat smiling a little, her face a slim pointed oval, her long hair done in two round glossy black side knobs. She wore little make-up and no ornaments except a gold fountain pen tucked in her light mauve tunic. Her trumpet sleeves ended flaring just under the elbow.

妓女都戴眼鏡，冒充女學生。

兩個男子各自和女友並坐，原因只是這樣坐著重量比較平均。難得說句笑話，打趣的對象也永遠是朋友的愛人。

兩個女郎年紀約在二十左右，在當時的女校高材生裏要算是年輕的了。那時候的前進婦女正是紛紛的大批湧進初小、高小。密斯周的活潑豪放，是大家都佩服的，認為能夠代表新女性。密斯范則是靜物的美。她含著微笑坐在那裏，從來很少開口，窄窄的微尖的鵝蛋臉，前劉海齊眉毛，挽著兩隻圓髻，一邊一個。薄施脂粉，一條黑華絲葛裙子繫得高高的，細腰喇叭袖黑水鑽狗牙邊雪青綢夾襖，脖子上圍著一條白絲巾。周身毫無插戴，只腕上一隻金錶，襟上一支金自來水筆。西湖在過去一千年來，一直是名士美人流連之所，重重疊疊的回憶太多了。遊湖的女人即使穿的是最新式的服裝，映在那湖光山色上，也有一種時空不諧調的突兀之感，彷彿是屬於另一個時代的。

湖水看上去厚沉沉的，略有點污濁，卻彷彿有一種氤氳

The young men were Lo and Wen. Lo was tall and thin. His pale turquoise long gown hung well on him in a more literal sense than when the phrase was applied to westerner's clothes. He taught in the same school as Wen. They both owned land in their home village and taught school in Hangchow merely as an excuse to live by the West Lake, where every scenic spot was associated with the memory of some poet or reigning beauty.

The four had been meeting almost daily for more than a year. They would go out on the lake, have dinner at one of the restaurants along the shore, and go boating again if there was a moon. Somebody would read Shelley aloud and the girls held hands with each other when they felt moved. Always there were four of them, sometimes six but never two. The men were already married – a universal predicament. Practically everybody was married and had children before ever hearing of love. Wen and Lo had to be content with discussing the girls interminably between them-

不散的脂粉香，是前朝名妓的洗臉水。

兩個青年男子中，身材較瘦長的一個姓羅，長長的臉，一件湖色熟羅長衫在他身上掛下來，自有一種飄然的姿致。他和這姓郭的朋友同在沿湖一個中學裏敎書，都是以敎書爲藉口，藉此可以住在杭州。擔任的鐘點不多，花晨月夕，儘可以在湖上盤桓。兩人志同道合，又都對新詩感到興趣，曾經合印過一本詩集，因此常常用半開玩笑的口吻自稱『湖上詩人』，以威治威斯與柯列利治自況。

密斯周原是郭君的遠房表妹，到杭州進學校，家裏託郭君照顧她，郭請她吃飯、遊湖，她把同學密斯范也帶了來，有兩次郭也邀了羅一同去，大家因此認識了。自此幾乎天天見面。混得熟了，兩位密斯也常常聯袂到宿舍來找他們，然後照例帶著新出版的書刊去遊湖，在外面吃飯，晚上如果月亮好，還要遊夜湖。划到幽寂的地方，不拘羅或是郭打開書來，在月下朗誦雪萊的詩。聽到迴腸盪氣之處，密斯周便緊緊握住密斯范的手。

selves, showing each other the girls' carefully worded letters, admiring their calligraphy, analyzing their personalities from the handwriting. Love was such a new experience in China that a little of it went a long way.

They sailed into a patch of yellowing lotus leaves, the large green plates crunching noisily against the boat. Then there was silence. The boatman and his little daughter were resting on their oars, letting the boat drift. Now and then the water made a small swallowing sound as if it had a piece of candy in its mouth.

"Going home this weekend?" Miss Fan asked.

"I suppose I can't get out of it this time," Lo answered smiling. "My mother has been complaining."

She smiled. The mention of his mother did not alter the fact that he was going back to his wife.

Lately Lo had been feeling increasingly guilty about going home, while Miss Fan had allowed her resentment to become more manifest before and after each visit.

"I have made a decision," he said in a low voice,

他們永遠是四個人，有時候再加上一對，成爲六個人，但是從來沒有兩個人在一起。這樣來往著已經快一年了。郭與羅都是結了婚的人——這是當時一般男子的通病。差不多人人都是還沒聽到過『戀愛』這名詞，早就已經結婚生子。郭與羅與兩個女友之間，只能發乎情止乎禮，然而也並不因此感到苦悶。兩人常在背後討論得津津有味，兩個異性的一言一笑，都成爲他們互相取笑的材料。此外又根據她們來信的筆觸，研究她們倆的個性——雖然天天見面，他們仍舊時常通信，但僅只是落落大方的友誼信，不能稱作情書。——他們從書法與措辭上可以看出密斯周的豪爽，密斯范的幽嫻，久已分析得無微不至，不可能再有新發現，然而仍舊孜孜地互相傳觀、品題，對朋友的愛人不吝加以讚美，私下裏卻慶幸自己的一個更勝一籌。這一類的談話他們永不感到厭倦。在當時的中國，戀愛完全是一種新的經驗，僅只這一點點已經很夠味了。

小船駛入一片荷葉，灑黃點子的大綠碟子磨著船舷嗤嗤

looking at her. Then, when she did not ask him what it was, he said, "Missu Fan, will you wait for me? It might take years."

She had turned away, her head bent. Her hands played with the lower left corner of her slitted blouse, furling and unfurling it.

Actually she did not agree to his getting a divorce until days later. But that evening, when the four of them dined at a restaurant famous for its lake fish, Lo already felt pledged and dedicated. All the wine he drank tasted like the last cup before setting out on a long hard journey on a cold night.

The restaurant was called the House Beyond Houses. It leaned over the lake on three sides. Despite the view and its poetic name it was a nonchalantly ugly place with greasy old furniture. The waiter shouted orders to the kitchen in a singsong chant. When the glass dome was lifted from the plate of live shrimp, some of the shrimp jumped across the table, in and out of the sauce dish, and landed on Miss Fan, tailing soya sauce down the front of her blouse. Miss Chou squealed.

響著。隨即寂靜了下來。船夫與他的小女兒倚在槳上一動也不動，由著船隻自己漂流。偶爾聽見那湖水嘓的一響，彷彿嘴裏含著一塊糖。

『這禮拜六回去不回去？』密斯范問。

『這次大概賴不掉，』羅微笑著回答。『再不回去我母親要鬧了。』

她微笑。他儘管推在母親身上，事實依舊是回到妻子身邊。

近來羅每次回家，總是越來越覺得對不起密斯范。回去之前，回來之後，密斯范的不愉快也漸漸地表示得更明顯。

這一天她僅只問了這樣一聲，已經給了他很深的刺激。船到了平湖秋月，密斯周上岸去買藕粉，郭陪了她去，羅與密斯范倚在朱漆欄杆邊等著，兩人一直默然。

『我下了個決心。』羅突然望著她低聲說。然後，看她並沒有問他是什麼決心，他便又說，『密斯范，你肯不肯答應我？也許要好些年。』

她低下了頭，扭過身去，兩手捲弄著左邊的衣角。

當天她並沒有吐口同意他

In the dingy yellow electric light Miss Fan looked flushed and happy and did not seem to mind at all.

Lo did not go home until the Saturday after that. The journey took two hours by train and wheelbarrow. His wife looked sheepish as her mother-in-law loudly and ostentatiously excused her from various duties because her husband was home. She was wearing a short blue overall with the red satin binding of a silk tunic showing underneath it. She had not been sure that he would be coming.

He spoke to her that night about divorce. She cried all night. It was terrible, almost as if a judge were to sleep in the same bed with a condemned man. Say what he might, he knew he was consigning her to dishonorable widowhood for the rest of her life.

"Which of the Seven Out Rules have I violated?" she kept asking through angry sobs. Ancient scholars had named the Seven Out Rulees have I violated?" she kept asking through angry sobs. Ancient scholars had named the seven conditions under which a wife might

離婚。但是那天晚上他們四個人在樓外樓吃飯，羅已經感到這可以說是他們的定情之夕，同時覺得他已經獻身於一種奮鬥。那天晚上喝的酒，滋味也異樣，像是寒夜遠行人上路之前的最後一杯酒。

樓外樓的名稱雖然詩意很濃，三面臨湖，風景也確是好，那菜館本身卻是毫不講究外表，簡陋的窗框，油膩膩的舊家具，堂倌向樓下廚房裏曼聲高唱著菜名。一盤搶蝦上的大玻璃罩揭開之後，有兩隻蝦跳到桌上，在醬油碟裏跳出跳進，終於落到密斯范身上，將她那淺色的襖上淋淋漓漓染上一行醬油跡。密斯周尖聲叫了起來。在昏黃的燈光下，密斯范紅著臉很快樂的樣子，似乎毫不介意。

羅直到下一個星期六方才回家。那是離杭州不遠的一個村莊，連乘火車帶獨輪車不到兩個鐘頭。一到家，他母親大聲宣佈蠲免媳婦當天的各項任務，因爲她丈夫回來了，媳婦反而覺得不好意思。她大概因爲不確定他回來不回來，所以在綢夾襖上罩上一件藍布短衫，隱隱露出裏面的大紅緞子

justifiably be evicted from her husband's house.

His mother flew into a rage on being told. She would not hear of it. Lo went back to Hangchow and stopped coming home altogether. His mother got his uncle to go up to Hangchow and talk him out of his foolishness. He in turn managed to persuade a cousin to go and talk to his family. It took infernally long to negotiate through relatives who were, further more, unreliable transmitters of harsh words, being peacemakers at heart, especially where matrimony was concerned. To break up a marriage is a cardinal sin that automatically takes ten years off a man's given life span.

Lo got a lawyer to write his wife an alarmingly worded request for divorce. His wife's family, the Changs, boiled over with rage. Did he think his wife was an orphan? Not all the Changs were dead. True, they could not revenge themselves on the faithless man unless his wife were to hang herself on his lintel. That would place his life and property entirely at their mercy. But it was not for

滾邊。

這天晚上他向她開口提出離婚。她哭了一夜。那情形的不可忍受，簡直彷彿是一個法官與他判處死刑的罪犯同睡在一張床上。不論他怎麼爲自己辯護，他知道他是判她終身守寡，而且是不名譽的守寡。

『我犯了七出之條哪一條？』她一面憤怒地抽噎著，一面儘釘著他問。

第二天，他母親知道了，大發脾氣，不許再提這話。羅回到杭州，從此不再回家。他母親託他舅舅到杭州來找他，百般勸說曉喻。他也設法請一個堂兄下鄉去代他向家裏疏通。託親戚辦交涉，向來是躭誤時候，而且親戚代人傳話，只能傳好話，決裂的話由他們轉達是靠不住的。因爲大家都以和事佬自居，尤其事關婚姻。拆散人家婚姻是傷陰隲損陽壽的。

羅請律師寫了封措辭嚴厲的信給他妻子。家裏只是置之不理，他妻子娘家人卻氣得揎拳捋臂，說：『他們羅家太欺負人。當我們張家人都死光了？』恨不得興師動衆打到羅家，把房子也拆了，那沒良心

them to recommend such a step to her.

The head of the Lo clan was moved to speak. The old man threatened to invite the Family Law out of its niche and beat the young rascal in the ancestral temple. "Family Law" was a euphemism for the plank used for flogging.

Miss Fan and Lo continued to see each other in the company of Wen and Miss Chou. Their friends were delighted and exhilarated by the courage of this undertaking—though it did put Wen in a difficult position, even if Miss Chou was never openly reproachful. It now appeared as though the wistfulness that was part of the beauty of their relationship was not one of those things that couldn't be helped.

Lo was only home once in two years. They were difficult years for both the mother and daughter-in-law. They began to get on each other's nerves. There was an unwritten law that a wife could never be divorced once she had worn morning white and the ramie scarf of mourning for a parent-in-law. So the old lady got

的小鬼即使不在家，也把老太婆拖出來打個半死。只等他家姑奶奶在羅家門框上一索子吊死了，就好動手替她復仇。但是這事究竟各人自己主張，未便催促。

鄉下一時議論紛紛，都當作新聞來講。羅家的族長看不過去，也說了話：『除非他一輩子躲著不回來，只要一踏進村口，馬上綁起來，去祠堂去請出家法來，結結實實打這畜生。鬧得太不像話！』

羅與密斯范仍舊天天見面，見面總是四個人在一起。郭與密斯周十分佩服他們不顧一切的勇氣，不斷的鼓勵他們，替他們感到興奮。事實是相形之下，使郭非常爲難。儘管密斯周並沒有明言抱怨，卻也使他夠難堪的。到現在爲止，彼此的感情裏有一種哀愁，也正是這哀愁使他們那微妙的關係更爲美麗。但是現在這樣看來，這似乎並不是人力無法挽回的。

羅在兩年內只回去過一次。他母親病了，風急火急把他叫了回去。他一看病勢並不像說的那麼嚴重，心裏早已明白了，只表示欣慰。他母親乘

the idea that her daughter-in-law wished for her death. It would certainly settle the divorce problem. But the old lady swore she would see the younger woman out of the house vertically before she made her own exit horizontally.

Outwardly the divorce negotiations had not gained much ground in six years. Miss Fan's family never did approve. Now they kept reminding her that at twenty-six she was becoming an old maid. Soon she would not even qualify for t'ien-fang —room filler, a wife to fill up a widower's empty room. It seemed to her family that Lo was only wating to have her on his own terms. It was doubtful whether he was seriously trying to get a divorce. Possibly alimony was the stumbling block. There were those who said he was actually quite poor. What little he had must have dwindled away through his long absence from home, with his estate left in the hands of an estranged wife. There had been some unpleasantness over the divorce question at the school where he was teaching. If he didn't depend

機勸了他許多話，他卻淡淡的不接口。也不理睬在旁邊送湯送藥的妻子。夜裏睡在書房裏，他妻子忽然推門進來，插金戴銀，穿著吃喜酒的衣服，彷彿寶蟾送酒給他送了點心來。

兩人說不了兩句話便吵了起來。他妻子說：『不是你媽媽迫著我來，我眞不來了——又是罵，又是對我哭。』

她賭氣走了。羅也賭氣第二天一早就回杭州，一去又是兩年。

他母親想念兒子，漸漸的不免有點後悔。這一年她是整生日，羅被舅父勸著，勉强回來拜壽。這一次見面，他母親並沒有設法替兒子媳婦撮合，反而有意將媳婦支開了，免得兒子覺得窘。媳婦雖然抱怨婆婆上次迫她到書房去，白受一場羞辱。現在她隔離他們，她心裏卻又怨懟，而且疑心婆婆已經改變初衷，倒到那一面去了。這幾年家裏就只有婆媳二人，各人心裏都不是滋味。心境一壞，日常的摩擦自然增多，不知不覺間，漸漸把仇恨都結在對方身上。老太太那方面，認定了媳婦是盼她死——

on his job for a living, why didn't he resign?

Miss Chou told Wen confidentially that Miss Fan had been out to dinner with a pawnbroker, chaperoned by members of her family and a lady matchmaker. Wen was not to tell Lo.

In his indignation Wen told Lo anyway, though of course he added, "It's all her family's doing."

"They didn't tie her up with a rope and drag her to the restaurant, did they?" Lo said sardonically. He promised not to take up the matter with her immediately as that would betray the source of his information.

But that evening Lo drank too much rice wine when they dined at the House Beyond Houses which had the lake on three sides. "Congratulations, Missu Fan!" he said. "I hear you are going to invite us to your wedding feast." He drained his cup and strode off angrily.

Miss Fan refused to join them the next day. Lo's letters were returned unopened. A week later Miss Chou reported that Miss Fan had again been dining with the pawnbroker. Everything

給公婆披過麻戴過孝的媳婦是永遠無法休回娘家的。老太太發誓說她偏不死，先要媳婦直著出去，她才肯橫著出去。

外表上看來，離婚的交涉辦了六年之久，仍舊僵持不下。密斯范家裏始終不贊成。現在他們一天到晚提醒她，二十六歲的老姑娘，一眨眼，望三十了，給人做填房都沒人要。羅一味拖延，看來是不懷好意，等到將來沒人要的時候，只好跟他做小。究竟他是否在進行離婚，也很可疑，不能信他一面之詞。也可能癥結是他拿不出贍養費。打聽下來，有人說羅家根本沒有錢。家裏那點產業捏在他妻子手裏，也早靠不住了。他在杭州教書，為了離婚事件，校長對他頗有點意見，搞得很不愉快。倘若他並不靠教書維持生活，那麼為什麼不辭職？

密斯周背地裏告訴郭，說有人給密斯范做媒，對象是一個開當舖的，相親那天，在番菜館同吃過一頓飯。她再三叮囑郭君守秘密，不許告訴羅。

郭非常替羅不平，結果還是告訴了他。但是當然加上一句，『這都是她家裏人幹的

was settled; the man had given her a big diamond engagement ring.

Lo's divorce action had reached the point where it began to move through its own momentum. There were signs that his wife's side was now more ready to listen to reason. He would be a laughingstock for the rest of his life if he were to return to his wife at this stage. So he went ahead with the divorce, giving his wife a generous settlement as he had promised. As soon as the decree was final he got a professional matchmaker to approach the Wongs of the dye works on his behalf. The eldest Wong girl was reported to be the prettiest girl in town.

After an exchange of photographs and due investigation, the Wongs accepted him. Lo sold a great part of his land and bought Miss Wong a diamond ring even bigger than the one Miss Fan was said to have got. He was married after three months.

For some reasons Miss Fan's match did not come off. Maybe the pawnbroker had his doubts about modern girls and had heard

事。』

『是把她綑了起來送到飯館子去的，還是她自己走進去的？』羅冷笑著說。

『待會兒見面的時候可千萬別提，拆穿了大家不好意思，連密斯周也得怪我多嘴。』

羅答應了他。

但是這天晚上羅多喝了幾杯，恰巧又是在樓外樓吃飯，勾起許多回憶。在席上，羅突然舉起酒杯大聲向密斯范說：『密斯范，恭喜你，聽說要請我們吃喜酒了！』

郭在旁邊竭力打岔，羅倒越發站了起來嚷著，『恭喜恭喜，敬你一杯！』他自己一仰脖子喝了，推開椅子就走，三腳兩步已經下了樓。

郭與密斯周面面相覷，郭窘在那裏不得下台，只得連聲說：『他醉了。我倒有點不放心，去瞧瞧去。』跟著也下了樓，追上去勸解。

第二天密斯范沒有來。她生了氣。羅寫了信去也都退了回來。一星期後，密斯周又來報告，說密斯范又和當舖老闆出去吃過一次大菜。這次一切都議妥，男方給置了一隻大鑽

something of Miss Fan's long attachment to Lo. According to the Fans it was because they had found out that the pawnbroker had falsified his age. Some malicious tongues had it that it was the other way around.

In the natural course of things Lo would have run into Miss Fan sooner or later, living in the same town. But their friends were not content to leave it to chance. Somehow they felt it was important for them to meet again. It could not be that they wanted Lo to savor fully his revenge; they had disapproved of the way he had hit back at her at the expense of his own ideals. Maybe they wanted him to realise the mistake he had made and feel sorry. But perhaps the most likely explanation would be that they just thought it would be sad and beautiful–and therefore a good thing–for the two to meet once again on the lake under the moon.

It was arranged without the knowledge of either of them. One night Lo was out on a boat with Wen–Miss Chou was now married and not seeing them any more. Some people shouted at

戒作爲訂婚戒指。

羅的離婚已經醞釀得相當成熟，女方漸漸有了願意談判的跡象。如果這時候忽然打退堂鼓，重又回到妻子身邊，勢必成爲終身的笑柄。因此他仍舊繼續進行，按照他的諾言給了他妻子一筆很可觀的贍養費，協議離婚。然後他立刻叫了媒婆來，到本城的染坊王家去說親。王家的大女兒的美貌是出名的，見過的人無不推爲全城第一。

交換照片後，王家調查了男方的家世。媒婆極力吹噓，竟然給她說成了這頭親事。羅把田產賣去一大部份，給王家的小姐買了一隻鑽戒，比傳聞中的密斯范的那隻鑽戒還要大。不到三個月，就把王小姐娶了過來。

密斯范的婚事不知爲什麼沒有成功。也許那當舖老闆到底還是不大信任新女性，又聽見說密斯范曾經有過男友，而且關係匪淺。據范家這邊說，是因爲他們發現當舖老闆少報了幾歲年紀。根據有些輕嘴薄舌的人說，則是事實恰巧相反——少報年紀是有的。

羅與密斯范同住在一個城

them from another boat. It was a couple they used to know. Miss Fan was with them.

When the two boats drew near, Wen stepped over to the other boat, urging Lo to come with him. Lo found himself sitting across the small table from Miss Fan. The tea in the cups shone faintly, in each cup a floating silver disk swaying slightly with the movement of the boat. Her face and whit-clad shoulders were blue-rimmed with moonlight. It stunned him how she could look just the same when so much had happened.

They went through the amenities as if there were nothing amiss, but without directly addressing a single remark to each other. No reference was made to Lo's new marriage. The talk was mostly about the government-sponsored West Lake Exhibition and its ugly memorial that dominated the vista along the bank.

"It's an eyesore. Spoils everything." Lo said. "It will never be the same again."

Her eyes met his, wavered a little, and looked away.

市裏，照理遲早總有一天會在無意中遇見。他們的朋友們卻不肯聽其自然發展。不知爲什麼，他們覺得這兩個人無論如何得要再見一面。他們並不是替羅打抱不平，希望他有機會飽嘗復仇的甜味，他們並不贊成他的草草結婚，爲了向她報復而犧牲了自己的理想。

也許他們正是要他覺悟過來，自己知道鑄成大錯而感到後悔。但也許最近情理的解釋還是他們的美感：他們僅只是覺得這兩個人再在湖上的月光中重逢，那是悲哀而美麗的，因此就是一樁好事，不能不作成他們。

一切都安排好了，只瞞著他們倆。有一天郭陪著羅去遊夜湖——密斯周已經結了婚，不和他們來往了。另一隻船上有人向他們叫喊。是他們熟識的一對夫婦。那隻船上還有密斯范。

兩船相並，郭跨到那隻船上去，招呼著羅也一同過去。羅發現他自己正在密斯范對面。玻璃杯裏的茶微微發光，每一杯的水面都是一個銀色圓片，隨著船身的晃動輕輕的搖擺著。她的臉與白衣的肩膀被

After going round the lake they landed and separated. The day after, Lo received a letter addressed to him in Miss Fan's handwriting. He tore it open, his heart pounding, and found a sheet of blank paper inside. He knew instantly what she meant. She had wanted to write him but what could she say?

Soon it was no secret among their friends that they were again seeing a lot of each other. Lo again started divorce proceedings. This time he had very few sympathizers. He now looked like a scoundrel where he had once been a pioneer. It was another long struggle. On her part Miss Fan was also engaged in a struggle. Hers was against the forces of the years, against men's very nature which tires so easily. And in her struggle she had nobody to stand by her side as she stood by Lo. She remained quietly pretty. Her coiffure and clothes were masterpieces of subtle compromise between fashion and memory. He never wanted her to look any different from the way she did when he had first known her. Yet he

月光鍍上一道藍邊。人事的變化這樣多，而她竟和從前一模一樣，一點也沒有改變，這使他無論如何想不明白，心裏只覺得恍惚。

他們若無其事的寒暄了一番，但是始終沒有直接交談過一句話。也沒有人提起羅最近結婚的事。大家談論著政府主辦的西湖博覽會，一致反對那屹立湖濱引人注目的醜陋的紀念塔。

『俗不可耐。完全破壞了這一帶的風景，』羅嘆息著。『反正從前那種情調，以後再也沒有了。』

他的眼睛遇到她的眼睛，眼光微微顫動了一下，望到別處去了。

他們在湖上兜了個圈子，在西冷印社上岸，各自乘黃包車回去。第二天羅收到一封信，一看就知道是密斯范的筆跡。他的心狂跳著，撕開了信封，抽出一張白紙，一個字也沒有。他立刻明白了她的意思。她想寫信給他，但事到如今，還有什麼話可說？

他們舊情復燃的消息瞞不了人，不久大家都知道了。羅兩度進行離婚。這次同情他的

would have been distressed if it had suddenly occurred to him that she looked dated. She fell in with all his moods without being monotonously pliant. She read all the books he gave her and was devoted to Shelley.

He finally had to fight it out in the courts with his wife's family. The Wongs were adamant against divorce. Lawsuits were expensive, especially when judges proved to be tractable. Lo got his divorce at the end of five years. Though in reduced circumstances, he had built a small white house exactly the way Miss Fan and he had planned it, on a site they had chosen long ago. He had closed down his old house in the country after his mother's death. Their new home was on stilts, leaning out of the green hills right over the lake. Climbing roses and wisteria trailed over the moon window.

The newlyweds paid routine visits to relatives. They were usually pressed to stay for dinner and play mah-jongg. Lo had never known her to be fond of the game. He told his wife it was good of her to comply but there was no need to

人很少。以前將他當作一個開路先鋒，現在卻成了個玩弄女性的壞蛋。

這次離婚又是長期奮鬥。密斯范呢，也在奮鬥。她鬥爭的對象是歲月的侵蝕，是男子喜新厭舊的天性。而且她是孤軍奮鬥，並沒有人站在她身旁予以鼓勵，像她站在羅的身邊一樣。因爲她的戰鬥根本是秘密的，結果若是成功，也要使人渾然不覺，絕不能露出努力的痕跡。她仍舊保持著秀麗的面貌。她的髮式與服裝都經過縝密的研究，是流行的式樣與回憶之間的微妙的妥協。他永遠不要她改變，要她和最初相識的時候一模一樣。然而男子的心理是矛盾的，如果有一天他突然發覺她變成老式、落伍，他也會感到驚異與悲哀，她迎合他的每一種心境，而並非一味地千依百順。他送給她的書，她無不從頭至尾閱讀。她崇拜雪萊，十年如一日。

王家堅決地反對離婚，和平解決辦不到，最後還是不能不對簿公庭。打官司需要花錢，法官越是好說話，花的錢就更多。前後費了五年的工夫，傾家蕩產，總算官司打

keep it up all night and promise to come back for more the next day. She answered that people teased her into it, saying she could not bear to be away from her bridegroom a single minute.

She complained of living so far out. When she came back late from her mahjongg parties she often had difficulty finding a ricksha puller willing to take her home. When she was not out playing mah-jongg she lounged about in soiled old gowns with torn slits and frayed frogs. Half the time she lay in bed cracking watermelon seeds, spitting the shells over the bedclothes and into her slippers on the floor. His hints at taking more interest in her appearance were at first ignored. Then she flared up and said his fussiness was unmanly. "No wonder you never get anywhere."

Lo did his best to keep up a good front. Still he supposed that news of their quarrels got about, because one day a relative mentioned casually to him that Miss Wong had not yet remarried. "Why don't you ask her to come back?"

贏，判了離婚，手邊雖然窘，他還是在湖邊造了一所小白房子，完全按照他和密斯范計畫着的格式，坐落在他們久已揀定了的最理想的地點，在幽靜的裏湖。鄉下的房子，自從他母親故世以後，已經一部份出租，一部份空關着。新房子依着碧綠的山坡，向湖心斜倚着，踩着高蹻站在水裏，牆上爬滿了深紅的薔薇，紫色的藤蘿花，絲絲縷縷倒掛在月洞窗前。

新婚夫婦照例到親戚家裏挨家拜訪，親戚照例留他們吃飯、打麻將。羅知道她是不愛打麻將的。偶爾敷衍一次，是她賢慧，但是似乎不必再約上明天原班人馬再來八圈。她告訴他她是不好意思拒絕，人家笑她恩愛夫妻一刻都離不開。

她抱怨他們住得太遠。出去打牌回來得晚了，叫不到黃包車，車夫不願深更半夜到那冷僻的地方去，回來的時候兜不到生意，輪到她還請，因爲客人回去不方便，只好打通宵，羅又嫌吵鬧。

沒有牌局的時候，她在家裏成天躺在床上嗑瓜子，衣服也懶得換，汚舊的長衫，袍叉

Lo shook his head sadly. He needed some persuasion, but of course he knew that the Wongs would agree that this was the best way out, much as they hated him. The family's good name would suffer if their daughter took a second husband.

His wife, the former Miss Fan, did not hear of the matter until all arrangements had been made. Despite scenes and threats of suicide, the day Miss Wong returned to him escorted by members of the Wong family she was there to receive them and play hostess at the small informal celebration. She addressed Miss Wong's brother and sister-in-law as "Brother" and "Sister-in-law." She apologised for the dinner. "It's difficult for us to get a good cook, living so far away from the market. Terribly inconvenient. Else I would have made him fetch back your young lady long ago. Of course she ought to come and live here. One can't be staying with parents all the time." Miss Wong did not speak, since she was almost a bride.

No agreement had been reached as to the mode of address between the two

撕裂了也不補，紐絆破了就用一根別針別上。出去的時候穿的仍舊是做新娘子時候的衣服，大紅大綠，反而更加襯出面容的黃瘦，羅覺得她簡直變了個人。

他婉轉地勸她注意衣飾，技巧地從誇讚她以前的淡裝入手。她起初不理會，說得次數多了，她發起脾氣來，說：『婆婆媽媽的，專門管女人的閒事，怪不得人家說，這樣的男人最沒出息。』

羅在朋友面前還要顧面子。但是他們三天兩天吵架的消息恐怕還是傳揚了出去，因爲有一天一個親戚向他提起王小姐來，彷彿無意中閒談，說起王小姐還沒有嫁。『其實你爲什麼不接她回來？』

羅苦笑着搖搖頭。當然羅也知道王家雖然恨他薄倖，而且打了這些年的官司，寃仇結得海樣深，但是他們究竟寧願女兒從一而終，反正總比再嫁强。

只要羅露出口風來，自有熱心的親戚出面代他奔走撮合。等到風聲吹到他那范氏太太的耳朵裏，一切早已商議妥當。家裏太太雖然哭鬧着聲稱

women, who were understood to be of equal status. They were merely referred to as "That of the House of Fan" and "That of the House of Wong" behind each other's back.

Not long afterward an elder of Lo's clan spoke to him. "I see no reason why you shouldn't ask your first wife to come back. It would only be fair."

Lo could not think of any valid objection either. He went down to the country where she was living with her family, and brought her back to the rose-covered little house by the lake.

Both of his ex-wives were much richer than he was after the divorce settlements. But they never helped him out, no matter what straits he got into from providing for three women and their squabbling servants and later their children. He could not really blame them, taking everything into consideration. He would not have minded it so much if "That of the House of Fan" did not taunt him continually about the others' lack of feeling for him.

And now that he had

要自殺，王家護送他們小姐回羅家那一天，還是由她出面招待。那天沒有請客，就是自己家裏幾個人，非正式的慶祝了一下。她稱王小姐的兄嫂爲『大哥』、『嫂子』，謙說飯菜不好：『住得太遠，買菜不方便，也僱不到好廚子。房子又小，不夠住，不然我早勸他把你們小姐接回來了。當然該回來，總不能一輩子住在娘家。』

王小姐像新娘子一樣矜持着，沒有開口。她兄嫂卻十分客氣，極力敷衍。事先王家曾經提出條件，不分大小，也沒有稱呼，因爲王小姐年幼，姊妹相稱是她吃虧。只有在背後互相稱爲『范家的』、『王家的』。

此後不久，就有一個羅家的長輩向羅說，『既然把王家的接回來了，你第一個太太爲什麼不接回來？讓人家說你不公平？』

羅也想不出反對的理由。他下鄉到她娘家把她接了出來，也搬進湖邊那蓋滿了薔薇花的小白房子裏。

他這兩位離了婚的夫人都比他有錢，因爲離婚的時候拿

lived down the scandal and ridicule, people envied him his *yeng fu*, glamorous blessings–extraordinary in an age that was at least nominally monogamous, for it was already 1936–living with three wives in a rose-covered little house by the lake. On the rare occasions when he tried to tell somebody he was unhappy, the listener would guffaw. "Anyhow," the friend would say, "there are four of you –just right for a nice game of mah-jongg."

了他一大筆贍養費。但是她們從來不肯幫他一個大子，儘管他非常拮据，憑空添出許多負擔，需要養活三個女人與她們的傭僕，後來還有她們各人的孩子、孩子的奶媽。他回想自己當初對待她們的情形，覺得也不能十分怪她們。只是『范家的』不斷在旁邊冷嘲熱諷，說她們一點也不顧他的死活，使他不免感到難堪。

現在他總算熬出頭了，人們對於離婚的態度已經改變，種種非議與嘲笑也都已經冷了下來。反而有許多人羨慕他稀有的艷福。這已經是一九三六年了，至少在名義上是個一夫一妻的社會，而他擁有三位嬌妻在湖上偕隱。難得有兩次他向朋友訴苦，朋友總是將他取笑一番說，『至少你們不用另外找搭子，關起門來就是一桌麻將。』

皇冠
CROWN
〈註册商標第173155號〉

皇冠叢書第一〇七九種
【張愛玲全集13】
續集
作　者—張愛玲
發行人—平鑫濤
出版發行—皇冠文學出版有限公司
台北市敦化北路一二〇巷五〇號
電話◉七一六八八八八
郵撥帳號◉〇〇一〇四二六—九號
登記證—局版臺業字第五〇一三號
責任編輯—方麗婉
美術編輯—吳慧雯・劉慧芬
校　對—曾美珠・謝慧珍・林俶萍
印刷者—世和印製企業有限公司
台北縣中和市平和路五三號
電話◉二二三三八六六

原始出版日——一九八八年二月
典藏版初版——一九九三年九月

國際書碼◉ ISBN957-33-0551-8
Printed in Taiwan
本書定價◉新台幣 160 元